Copyright © Evie Wyld 2013
All rights reserved.
Todos os direitos reservados.

Tradução para a língua portuguesa
© Leandro Durazzo, 2015

Diretor Editorial
Christiano Menezes

Diretor Comercial
Chico de Assis

Editor Assistente
Bruno Dorigatti

Assistente de Marketing
Bruno Mendes

Designer Assistente
Pauline Qui

Capa e Projeto Gráfico
Retina 78

Revisão
Felipe Pontes
Retina Conteúdo

Impressão e acabamento
Geográfica Gráfica

DADOS INTERNACIONAIS DE CATALOGAÇÃO NA PUBLICAÇÃO (CIP)
Angélica Ilacqua CRB-8/7057

Wyld, Evie
  Onde cantam os pássaros / Evie Wyld ;
tradução de Leandro Durazzo. – –
Rio de Janeiro : DarkSide Books, 2015.
256 p.

  ISBN: 978-85-66636-52-9
  Título original: All the Birds, Singing

  1. Literatura inglesa - Ficção I. Título II. Durazzo, Leandro

15-0660   CDD 823
        Índices para catálogo sistemático:

            1. Literatura inglesa - ficção

DarkSide® Entretenimento LTDA.
Rua do Russel, 450/501 - 22210-010
Glória - Rio de Janeiro - RJ - Brasil
www.darksidebooks.com

EVIE WYLD
ONDE CANTAM OS PÁSSAROS
~~DARKSIDE~~

tradução
Leandro Durazzo

para Roz, Roy e Gus

1

Outra ovelha, mutilada e coberta de sangue, as vísceras ainda frescas e o vapor subindo dela como um pudim recém-cozido. Corvos esvoaçam e crocitam, com os bicos reluzentes, e quando agito meu cajado eles voam para as árvores, observando, abrindo suas asas. Cantando, se é que se pode dizer isso. Empurro o focinho de Cão com minha bota, para que não arranque um pedaço da ovelha como recordação, e ele me segue de perto enquanto carrego a carcaça para dentro do galpão.

Estive acordada desde cedo, antes do sol sair, falando sozinha, contando ao cachorro das coisas que precisava fazer, quando os melros no espinheiro começaram a cantar. Como uma mulher maluca, ouvindo a própria voz, o vento enfiando-a de volta por minha garganta adentro, ecoando em minha boca aberta, do jeito que acontecia toda manhã desde que eu me mudara para a ilha. Com as árvores se agitando sobre o cadáver e as ovelhas balindo atrás de mim, as mesmas árvores, o mesmo vento e as mesmas ovelhas.

Aquilo fazia dois mortos em um mês. A chuva começava a cair e uma súbita rajada de vento lançou merda de ovelha em minha nuca, fazendo arder. Levantei a gola e protegi meus olhos com as mãos.

Cree-cra, frio, cree-cra, frio.

"Do que você está rindo?", gritei para os corvos, arremessando uma pedra neles. Enxuguei os olhos com as costas da mão e respirei fundo, tentando me livrar do cheiro de sangue. Os corvos estavam quietos. Quando olhei, vi cinco deles sentados lado a lado no mesmo galho, olhando para mim, mas sem falar. O vento jogou meus cabelos sobre os olhos.

Na loja da fazenda, em Marling, havia uma tabuleta gasta e empenada ao pé da porta em que se podia ler FILHOTES DE PORQUINHO-DA-ÍNDIA GRÁTIS. Nunca vi qualquer traço dos porquinhos grátis, e já havia passado do ponto em que seria possível perguntar. A filha pálida do proprietário estava lá, fazendo palavras cruzadas. Ergueu os olhos para mim, depois baixou novamente o olhar como se estivesse envergonhada.

"Oi", eu disse.

Ela corou, mas deu poucos sinais de atenção. Vestia um grosso agasalho verde e tinha o cabelo em rabo de cavalo. Em torno de seus olhos havia a vermelhidão que acompanha uma noite de choro ou bebedeira.

Normalmente as batatas daquele lugar eram boas, mas todas pareciam um pouco passadas. Deixei-as no lugar e fui conferir os tomates, mas eles também não estavam muito melhores. Olhei pela janela, para onde ficava a estufa da fazenda, e vi que todos os seus vidros estavam quebrados.

"Ei", falei para a garota, que já estava me olhando quando virei para ela, mordendo a ponta de lápis. "O que aconteceu com a estufa de vocês?"

"O vento", ela disse, tirando o lápis da boca por um segundo. "Papai disse para dizer que o vento quebrou tudo."

Eu conseguia ver o vidro quebrado do lado de fora, onde eles normalmente deixavam vasos de cíclames rosas horríveis, com uma placa dizendo A JOIA PARA SEU JARDIM DE INVERNO. Tudo terra preta e vidro, agora.

"Uou", respondi.

"As coisas sempre ficam ruins na véspera do ano novo", disse a garota, com uma voz que soou mais velha e surpreendeu a nós duas. Ela corou ainda mais e voltou os olhos para as palavras cruzadas. Na estufa, o homem que normalmente cuidava da loja estava sentado, com o rosto entre as mãos.

Levei algumas laranjas, limões e alho-poró para o caixa. Eu não precisava de nada, aquela viagem tinha sido muito mais pelo passeio de carro do que pelos suprimentos. A garota tirou o lápis da boca e começou a contar as laranjas, mas não estava muito segura e recomeçou a contar algumas vezes. Ela cheirava a álcool mascarado por muito perfume. Ressaca, então. Imaginei uma discussão com seu pai. Olhei novamente para a estufa, para o homem parado com o rosto nas mãos, o vento soprando por ele.

"Tem nove, certo?", ela perguntou, e mesmo que eu não tivesse contado quando coloquei na cesta, respondi que sim. Ela digitou alguma coisa na caixa registradora.

"Deve ser ruim perder a estufa", falei, notando um pequeno machucado azulado em sua têmpora. Ela não olhou para mim.

"Não é tão mal. Devíamos ter feito um pedido para o continente, mas o ferry não está funcionando hoje."

"Não está funcionando?"

"O tempo está muito ruim", ela disse, novamente com aquela voz velha que nos incomodava.

"Eu nem sabia que isso acontecia."

"Acontece", respondeu, colocando minhas laranjas em uma sacola e o resto em outra. "Construíram os novos botes muito grandes, então eles não são seguros quando o tempo está ruim."

"E você sabe como está a previsão do tempo?"

A garota olhou para mim e rapidamente baixou os olhos outra vez.

"Não. Quatro libras e vinte, por favor." Ela contou meu dinheiro lentamente. Precisou de duas tentativas para dar o troco certo. Fiquei pensando em que novidade ela teria ouvido sobre mim. Já era o momento de ir embora, mas não me movi.

"Então, como é isso de porquinhos-da-índia grátis?"

Seu rosto voltou a corar. "Não é mais. Demos os porquinhos para a cobra do meu irmão. Eram vários."

"Oh."

A garota sorriu. "Isso foi há anos."

"Claro", respondi.

Ela colocou novamente o lápis na boca e correu os olhos para as palavras cruzadas. No fim das contas, estava apenas colorindo os quadrados em branco.

No caminhão, percebi que havia esquecido as laranjas na loja. Olhei pelo retrovisor para a estufa destruída e vi o homem de pé, com as mãos na cintura e olhando para mim. Tranquei as portas e fui embora sem as laranjas.

Começou a chover forte, então liguei o aquecedor e coloquei o limpador de para-brisas no máximo. Passamos direto pelo lugar em que eu costumava levar Cão para passear, e ele sentou no banco do passageiro me encarando, firme, e toda vez que eu olhava ele punha as orelhas de pé, como se estivéssemos no meio de uma conversa e eu evitasse seu olhar. "Qual é?", falei. "Você é um cachorro." Com isso, ele se virou e passou a olhar pela janela.

No meio do caminho para casa, me dei por vencida e parei na entrada de um campo vazio. Cão olhava estoicamente pela janela, quieto e calmo, e eu pressionei a ponte do nariz com meu dedão para tentar parar o formigamento que sentia, cravando as unhas da outra mão no peito para me livrar daquela dor imensa que acompanhava a perda de uma ovelha, gota de sangue caindo sobre um olho aberto. Chorei um choro seco, ofegante, buzinando, sacudindo o caminhão e sentindo algo se debatendo dentro de mim sem que conseguisse vir à tona. *Tenha um bom choro*; era o tipo de coisa que mamãe diria aos trigêmeos, torcendo para que não fosse preciso levá-los ao hospital. Como na vez em que Cleve caiu de uma árvore e chorou de se esgoelar, até que mais tarde descobrimos que ele quebrara o braço. Mas não havia nada de bom no meu choro – ele me impedia de respirar, me machucava. Parei assim que meu nariz começou a sangrar, limpei-o com o paninho que usava para descongelar os vidros do carro e dirigi para casa, calmamente. Na Military Road, perto de casa, alguns adolescentes brincavam no ponto de ônibus. Quando me viram chegando, um dos rapazes fez gestos como se colocasse algo na boca, outro montou por trás do primeiro e o provocou, fingindo arremessar um laço. As garotas riram e me mostraram o dedo. Enquanto eu passava, o garoto do laço baixou as calças e me mostrou sua bunda branca.

Botei a cafeteira no fogão com mais força do que precisava. "Crianças de merda", falei para Cão, mas ele estava de costas para mim e não me ouvia.

Fechei a geladeira com força, recostando a cabeça contra ela. Era estúpido ter ficado tão à vontade. A geladeira zumbia, concordando. Era estúpido não pensar que tudo daria em merda. Aquela sensação que tive quando vi a cabana pela primeira vez, prostrada e branca como um seixo no sopé negro das colinas, a segurança de não ter ninguém por perto me espionando – tudo parecia uma estúpida vida passada. Tateei a lateral da geladeira, procurando a machadinha.

Minha manga estava marrom no lugar em que havia escorrido um pouco da ovelha morta. Tirei a blusa e esfreguei a sujeira com sabão, no banheiro do primeiro andar. Eu cheirava a bode, mas a ideia de tomar um banho completo, com o frio pesando sobre mim, não me agradava, e simplesmente joguei uma água nas axilas. Minhas mãos abriam e fechavam para se aquecer, a direita doendo e estalando nos pontos em que os ossos não haviam se colado direito.

Estiquei com as mãos a pele do meu rosto, na frente do espelho. A última vez que cortei minha franja havia tirado alguns centímetros a mais, e fiquei parecendo uma louca. Encontrei a marca de um dedo feita a sangue, abaixo da orelha.

Acendi um cigarro, prendi-o com os lábios e juntei as mãos a minha frente, tensionando os músculos enquanto respirava para conferir o tônus muscular. Ele ainda estava lá, mesmo que eu não tosquiasse havia dois meses. *Mulher forte*. Observei a fumaça serpentear para fora de minha boca e desaparecer no ar frio. A cafeteira começou a chiar, e corri para tirá-la do fogo. Eu ainda temia que aquilo pudesse explodir.

Pela janela da cozinha, o brilho de um para-brisa cortava o vale. Don em sua Land Rover. Cuspi o cigarro na pia, abri a torneira em cima dele e voei para o jardim, para pegar o carrinho de mão, enquanto Cão me mordia os calcanhares por estar correndo. Subi arfando até a estrada, com o carrinho rangendo e gemendo, e parei bloqueando a pista. Don encostou o carro e desligou o motor. Midge ficou esperando pacientemente no banco do passageiro, observando Cão com a língua rosada para fora.

"Pai do céu. Minhas bolas vão encolher", disse Don, enquanto se atirava para fora do caminhão. Chovia granizo e eu só vestia uma regata. Don me deu uma olhada, com a qual não me importei. "Sua aparência está uma merda. Não tem dormido?"

"Estou bem." Indiquei o carrinho de mão com a cabeça, e ele olhou.

"O que você tem aí?"

"Outra ovelha morta. Acho que foram aquelas crianças."

Ele olhou para mim, nossa respiração formando nuvens brancas entre nós. Balançou a cabeça.

"Por que uma criança ia querer fazer isso?"

"Por que qualquer um faria qualquer coisa? Tédio e imbecilidade."

Cão saltou para o assento de Midge no caminhão, latindo enquanto ela o olhava calmamente.

"Não", tornou a falar. "Não dá para botar a culpa de tudo nas crianças. Mesmo que alguns deles sejam uns capetas."

"O que aconteceu aqui, então?" Don falava para a ovelha morta, se inclinando com a mão nos quadris para dar uma olhada mais de perto. Fazia muito frio. Cruzei meus braços na altura do peito e tentei parecer à vontade.

"Encontrei-a essa manhã, pela mata."

"Na mata?"

Fiz que sim.

Ele balançou a cabeça e andou em volta do carrinho de mão. "Ela está definitivamente morta."

"Oh, sério? Você é veterinário?"

Don apertou os olhos em minha direção.

Pigarreei. "Essas crianças..."

Don tirou o boné de sobre os olhos e me observou. "Noite boa, a noite passada. Você devia ter vindo ao pub como eu falei."

Lá vamos nós, pensei. "Não é meu tipo de lugar, Don." Imaginei os homens que estariam por lá, debruçados sobre o balcão e conversando em voz baixa, os olhos faiscando quando uma mulher passasse por eles. O mesmo tipo dos três que apareceram na primeira semana, assobiando fazendeiro-quer-uma-esposa. Don era diferente. Eu liguei para ele na primeira vez que precisei fazer um parto pélvico, ele veio e calmamente costurou as entranhas prolapsadas da ovelha, salvando seus trigêmeos. Depois, me serviu uma bebida e disse, com tranquilidade: *Tudo há de se aprender, de um jeito ou de outro.*

Ainda assim, ele seria capaz de continuar para sempre.

"Três anos. Você não foi ao pub uma vez sequer."

Isso era mentira. Eu fora uma vez, mas Don gostava tanto de afirmar isso que nunca escutava quando eu dizia.

"Você apareceu com o braço em uma tipoia, se mudou para cá, parecendo uma lésbica ou uma hippie ou algo assim, e nós não temos muita gente desse tipo por aqui. Se não tomar cuidado, vão acabar usando histórias sobre você para assustar as crianças."

Mudei meu pé de apoio, sentindo o frio atravessar minha mandíbula.

"Cuidar de uma fazenda de ovelhas já é trabalho solitário o suficiente, não precisa se colocar em isolamento."

Pisquei para Don e houve uma longa pausa. Cão soltou um ganido. Ele também já havia ouvido tudo aquilo antes.

"Então o que foi que matou minha ovelha?", foi a única coisa que pude dizer.

Don suspirou e deu uma olhada no animal. À luz da manhã, ele parecia ter cem anos. As marcas de idade em suas bochechas eram evidentes. "Um vison pode fazer uma ovelha em pedaços, depois de morta. Ou uma raposa." Ele ergueu a cabeça da ovelha, para observar seus olhos. "Os olhos já eram", disse. "Alguma coisa pode tê-la matado e depois todos os outros vieram tirar seus pedaços." Levantou ainda mais a ovelha, olhando para onde suas costelas criavam uma caverna. Franziu as sobrancelhas. "Mas nunca vi nada por aqui que conseguisse arrancar a pele de um bicho desse jeito."

Busquei o bolso de minha calça, onde guardava os cigarros, e depois toquei o topo da cabeça suja de Cão. Um corvo chamou: *Caaa-creee; e caaa-cree*. Midge ficou de pé em seu assento e todos olhamos para as árvores negras além da cerca.

"Só diga àquelas crianças, se você as vir, e a todo mundo que quiser escutar, que vou dar um tiro em quem eu pegar perto de minhas ovelhas."

Virei o carrinho de mão e comecei a descer a colina, em direção à casa.

"Tá", disse Don. "Feliz ano novo para você também."

2

Falta uma semana para terminarmos o trabalho em Boodarie. Estou tomando banho ao lado do galpão dos tratores, olhando a aranha *redback*[1] do tamanho de um polegar que fica sempre em cima do chuveiro. Ela não se moveu nem um centímetro, exceto para levantar uma perna quando liguei o chuveiro, como se a água estivesse gelada demais para ela.

O dia foi longo e quente, o pior de março, e sob a crosta do telhado de zinco no galpão da tosquia o ar denso parecia sopa, com moscas enxameando o lugar. Estou com pouco xampu, mas uso uma boa dose e sinto a espuma escorrer por todas as reentrâncias, a água relaxando a base de minhas costas, onde as cicatrizes ardem e latejam com o suor. Sobre mim, para além da aranha, o céu escurece ligeiro

---

[1] Aranha venenosa da Austrália, parecida com a viúva-negra. O nome vem da marca vermelha que possui sobre o corpo. [As notas são do Tradutor.]

– a noite chega rápida aqui, não como na cidade onde você pode passar toda a noite trabalhando e nem perceber que já não é dia, a não ser pela redução do fluxo de gente. As primeiras estrelas são agulhas reluzentes, e na velha figueira-da-Austrália, que se curva sobre o galpão dos tratores e derruba castanhas no telhado enquanto durmo, um *currawong* conversa com um *galah* branco.[2] Posso ouvir o tagarelar entre eles. Uma raposa-voadora passa cortando o céu e de repente o cheiro do lugar muda, a noite se assenta. Alguém se move do lado de fora do tapume que cerca o chuveiro. Minhas mãos ainda estão em meus cabelos.

"Greg?", chamo, sem respostas. Desligo a água para ouvir melhor. A *redback* baixa sua pata. "Greg?" A espuma ainda densa em meus cabelos estala nos ouvidos. Penso sobre ser encontrada e levada embora, lá para trás, amarrada e deixada para apodrecer no meio do mato. Há um cheiro de gordura e ovos fritos. Alguém caminha lentamente em torno do chuveiro. Poderia ser qualquer um da equipe, talvez Alan, que já está ficando surdo, procurando fita isolante ou querosene, ou baterias, ou trapos. Mas não é, isso fica claro pela mudança no ar. "Greg?" Estou há menos de 150 quilômetros da casa de Otto, o mais perto desde que fugi, mas ainda assim, em sete meses, cruzei o país de cima a baixo. Mesmo que ele tivesse o nariz de um cão farejador, eu havia coberto meus rastros. *Eu cobri meus rastros*, balbuciei.

O tapume à minha direita escurece, e por um buraco no veio da madeira surge um olho. Recuo, a voz sumida.

---

2   *Currawong* e *galah* são aves nativas da Austrália, essa última sendo da família das cacatuas.

"Eu sei sobre você", diz o olho. "Você não me engana. Eu sei sobre você e sobre o que você fez", fala, e a voz é densa e pegajosa e tem o cheiro de ovos podres e lanolina junto a uísque e partes sem banho.

Eu cobri meus rastros, faz sete meses e eu cobri meus rastros, mas meu coração bate rápido e preciso me apoiar na parede para continuar de pé. A aranha reage, anda num pequeno círculo e para outra vez. O olho treme, e penso em enfiar a unha no meio dele, mas não consigo reunir coragem para tocá-lo. Não encontro nada pontiagudo que eu possa usar. O olho vai para cima e para baixo, a íris de um azul leitoso.

"Eu sei qual é a sua", diz o olho. Ele desaparece, e a sombra se afasta. Meu coração ribomba. Olho pelo nó na madeira e vejo Clare ziguezagueando na direção do galpão de tosquia. Ele estivera fora durante a semana, e descobrira alguma coisa.

Corro do chuveiro sem lavar a espuma, contornando o barracão até meu dormitório. Visto calças, shorts e uma regata, e começo a enfiar todo o resto dentro de minha mochila. *Se você estava tão certa que ele nunca mais a encontraria,* diz minha cabeça, *por que estava tão preparada para ir embora, com todos seus pertences cabendo em uma mochila?* Tudo está ali exceto minha tosquiadeira, que eu deixei no banco perto da mesa de tosquia para amolá-la pela manhã. E a carapaça de cigarra que Greg havia me dado no mês anterior, quando perguntou se eu iria para Gold Coast com ele assim que o trabalho estivesse terminado. Coloco-a na palma da mão e ela vibra com meu pulso.

"Só passar um mês na água. Pescando, nadando, tomando uma cerveja", ele disse. "Sacudir a poeira antes do próximo serviço."

Coloco a carapaça de volta na estante e saio para encontrar Greg no refeitório.

Quase todo mundo havia se reunido para o chá e procuro por Clare, mas ele não está lá. Sento perto de Greg, que conversava com Connor sobre motores de barco, e coloco minha mão em seu ombro tentando deixar claro que preciso conversar. Ele aperta minha coxa sob a mesa, sem se virar, tão entretido que estava com a conversa.

"... e tão gasto que caiu aos pedaços pela estiva", fala. Connor, bebendo de sua lata, diz:

"É. Desse jeito mesmo que acontece – o pessoal costuma esquecer", sua voz fica mais aguda e incrédula, "que, quando se trata de motores, a água é uma inimiga."

"Aham", responde Greg, e eu me aproximo mais dele. Não quero que mais ninguém saiba que existe um problema.

"Você está bem?", ele pergunta, notando meu desconforto.

"Preciso falar com você", digo calmamente.

Greg me olha por um instante, dá um gole em sua bebida e coloca o braço em minhas costas.

"Podemos ir para outro lugar?"

"Já vão servir o jantar."

"Eu sei, mas..."

"Sussurra."

Inclino-me para perto dele. As pessoas devem imaginar que estamos em um momento íntimo, e ninguém parece interessado. Um pedaço de carne surge em minha frente e bandejas de batatas cozidas começam a passar pela mesa.

Sinto a boca seca. "Você já encontrou com Clare?"

"Seu caminhão está aí, ele deve estar em algum lugar. Por quê? O que ele está te devendo?"

"Nada. É que... Olha, podemos ir para Gold Coast?"

Ele me lança um olhar incrédulo, como se não conseguisse entender o que diabos se passa com essa mulher. "Claro! Eu que sugeri. Que foi? Está com amnésia, por acaso?" Ele põe seis batatas grandes em seu prato, passa a bandeja, e eu a passo para Stuart, do meu lado.

"Quero dizer agora. Podemos simplesmente saltar no caminhão e ir agora?"

"Por quê? Que aconteceu?"

"Não aconteceu nada. Só quero ir agora."

Greg parece confuso. "Ora, eu também, mas a gente precisa terminar esse serviço."

"Por quê?"

Ele mastiga um pedaço de bife. "Por quê? Porque meus camaradas estão aqui, não vou deixá-los com um homem a menos. Além do mais, se formos antes não pegamos nosso bônus – e só falta uma semana para acabar. Não é muito." Quando engole, estica a mão para os pães no centro da mesa. "Sid", grita, "esse pão ainda é daquela farinha de cu?" Sid não responde e Greg, dando de ombros, raspa o prato.

"Dá para apenas confiar em mim? Precisamos ir agora", digo.

Ele larga o pão. "Por que nós *precisamos* ir agora? Qual a diferença? Você roubou um banco?"

Abro minha boca para falar, mas não havia nada que pudesse dizer a ele.

"Viu?", ele diz, pegando seu garfo outra vez. "Não há problema. É simples. Só o calor que é ruim, mas logo logo estaremos na costa."

Outra bandeja começa a passar, agora com salsichas. Quando a passo para Stuart, ele me olha estranho.

"Não vai pegar nada?", ele fala.

"Quê?"

"Está de dieta ou algo assim?"

Eu o ignoro, mas Greg também percebe e faz gestos para devolverem as salsichas. "Calma aí, calma aí, se ela não vai comer, deixa que eu pego", e garfa duas salsichas a mais.

"Por que você ganha mais?", pergunta Stuart.

"Porque ela é minha mulher."

"Como é? Isso não é justo."

"Parece justo para mim", Denis fala, de longe. "Ela é sua mulher, então a parte dela passa para ele."

Devia ter pegado as salsichas.

Tenho até o fim do jantar para convencê-lo.

Greg havia comido meu bife, e sobre a mesa estão duas tigelas grandes de salada de frutas enlatada, com cerejas vermelhas brilhantes e cubos claros de melão.

Alguém resmunga "Como assim, não tem sorvete?", e Sid bota dois tijolos de sorvete sobre a mesa, do tipo que você corta com uma espátula e que são de um amarelo suave que nem queijo. Connor corta uma fatia de cinco centímetros e derrama uma concha de salada por cima.

"Adoro quando o sorvete se mistura com o xarope", diz em voz alta, para quem quiser ouvir, e então pega as cerejas uma por uma, com os dedos, o dedinho levantado, e as coloca enfileiradas na borda do prato. "Mas essas merdinhas podem se desfazer."

Clare surge à porta, com a noite atrás de si. Os raios de luz que se infiltram no galpão fazem com que ele pareça brilhar. Segurando-se no batente, olha ao redor da grande mesa. Espero seus olhos pararem em mim, e assim que o fazem, percebo uma expressão de prazer em seu rosto. Estou encrencada. Sinto a coxa de Greg pulsar junto à minha. Connor raspa o prato com uma colher e Steve, perto dele, arremessa uma cereja que cai no colo de Stuart. Este, sem levantar os olhos da própria tigela, mostra o dedo para

Steve. Sentado na cabeceira da mesa, Alan lê um jornal e não liga para o resto. Bebe sua cerveja. E, com tudo isso, Clare olha para mim e sei que estou condenada, sei que é o fim. Ele entra no refeitório e passa lentamente por mim. Tento não levantar para segui-lo, tento não antecipar seu próximo movimento. Ele coloca a mão sobre o ombro de Greg, inclinando-se para ele, e fico tensa pelo que virá. Greg olha para ele e Clare lhe oferece um chocolate Violet Crumble. O rosto de Greg se abre em um sorriso.

"Meu bom homem", diz Greg. "Agora não preciso mais dessa merda", ele fala, apontando para a salada de frutas enquanto abre a embalagem roxa. Clare passa andando devagar, sem dizer nada, apenas me dando um olhar de soslaio. Greg quebra um pedaço da barra e a passa para mim. Quando se afasta, esmago o chocolate até que vire pó sob a mesa.

Pego minha tosquiadeira no barracão e tento não pensar no que vai acontecer depois. O lugar tem um cheiro bom. Suor e merda, lanolina e aguarrás. Não consigo imaginar ficar longe disso. Um gambá arranha o telhado de zinco. Caminho devagar para meu quarto, paro por um instante na escuridão, de onde posso enxergar o reconfortante facho de luz do refeitório, onde vejo um pouco de Greg, rindo, tomando uma cerveja, colocando-a de volta na mesa e limpando a boca com as costas da mão. Mordo minha língua e tento inventar um plano urgente que consiga parar as coisas. Nada aparece, e sigo meus pés de volta ao dormitório.

Clare está deitado em minha cama, com as botas calçadas e fumando. Paro na porta, mas ele já me ouvira chegando e me recebe com um sorriso cheio de dentes. Permaneço na porta, pensando se posso me virar e ir embora, voltar para o galpão de tosquia, esconder-me no meio da lã.

"Sabe onde estive a semana inteira?", pergunta, atirando as pernas para fora da cama. "Saia daí do batente, meu amor. Você parece uma prostituta." Seu sorriso se alarga, se é que isso é possível. A fumaça que sopra cria uma névoa no ar entre nós. "Vai viajar?", pergunta, imitando a voz de alguém da TV, e chuta de leve minha mochila. Há muita excitação em sua voz.

"Ben me contou dos cartazes – fotos suas espalhadas por todos os lugares, lá. Você sabia disso? Precisei ver com meus próprios olhos. Mas é você mesma." Ele puxa do bolso de trás um pedaço de papel dobrado e amassado. Desdobra-o devagar, rindo consigo mesmo, e o mostra para mim. Lá estou eu, em preto e branco, sentada no pônei rosa em meu cobertor, sorrindo para a câmera. Tenho um urso de pelúcia no colo, com minhas mãos em volta dele. Não que se possam ver minhas mãos, ou o urso, ou o cobertor, ou o velho tirando a fotografia, ou o cão de guarda lá fora. Só é possível ver meu rosto, o sorriso para a câmera. No topo, em letras maiúsculas, está escrito DESAPARECIDA, e sou capaz de ler "neta... risco para si mesma", embaixo, mas não consigo ver mais porque tudo fica preto.

"Eu liguei para esse número, Jake, e sabe o que descobri?"

"Não sei do que você está falando. Ele não é meu avô."

"Oh, eu sei disso tudo. Aquele pobre velho, 'Otto'. Tivemos uma longa e boa conversa. Fui encontrá-lo em sua fazenda, só um punhado de ovelhas mortas, e tudo que conseguia era falar sobre como você matou seu cachorro, roubou o dinheiro dele, e como ele só estava tentando tirá-la das ruas. Disse que você levou tudo que era caro a ele, até o caminhão, e o desgraçado não podia mais ir à cidade, tinha de esperar o Exército da Salvação levar-lhe mantimentos uma vez por semana enquanto sua lata-velha não voltava a funcionar. Também vi o que você fez nela, toda amassada e destruída."

"Não fiz nada. Eu só..."

"Eu vi. O velho coitado até chorou quando falamos do cachorro."

"Eu só..."

"Shhh", faz Clare, mas alto. Ergue-se da cama em um movimento fluido e anda lentamente em minha direção, segurando meus braços caídos ao lado do corpo. Aperta-me contra a bancada, inclinando o corpo sobre mim.

"Talvez você tenha enrolado eles, mas não vai me enrolar."

Aquilo me acende, e olho para a porta. O que aconteceria se Greg aparecesse agora?

"Olha só, você tem duas opções. Talvez eu possa ser convencido a ficar calado." A respiração de Clare é um bafo quente em meu rosto. Ele sussurra de um jeito como se em breve fosse gritar. "Você pode me mostrar um pouco do que mostrou para todo mundo lá em Hedland..." Meu coração salta pela boca. Uma parte estúpida em mim pensa *Talvez ele não fale nada*, mas é silenciada pela parte que sabe que isso nunca vai acabar, que eu não poderia continuar ali. "Um pouquinho de carinho – não estou pedindo nada demais – jamais foderia a mulher de um colega... talvez só a boca." E eu posso ver exatamente como aquilo tudo seria, o fundo da garganta, os cabelos agarrados em um rabo de cavalo, as palavras que ele diria enquanto fazia aquilo, e como o depois seria pior, como eu seria descartada com um floreio. "Ou", continua, deslizando o dedo pela curva de meu seio, "eu posso deixar Otto saber onde encontrá-la, e a polícia." Ele começa a desabotoar meus shorts, puxando minha camiseta de dentro dele, e coloca a mão lá, tateando com os dedos para entrar em minha calcinha. "Eu nem mesmo vou ter de dizer a Greg, porque eles farão isso por mim." Enfia um dedo entre minhas pernas, e como se fosse um brinquedo mecânico acionado por um botão, acerto seu queixo com um soco de direita. Ele vai ao chão, desmaiado e sangrando.

Não consigo fechar o short porque minha mão tinha acertado a cara de Clare com muita força, e agora não passava de um monte de carne inchada e latejante.

Saio do quarto sem olhar para trás, mas posso ouvir Clare se contorcendo na poeira e também um gemido empapado vindo dele. Com certeza eu quebrei sua mandíbula.

3

Fiquei observando Don dirigir vale adentro com a última claridade, permanecendo ali no granizo com o carrinho de mão, Cão se protegendo sob minhas pernas, até que o caminhão sumisse atrás da colina em que ele morava. Minhas botas faziam ruídos quebradiços enquanto eu caminhava de volta ao galpão. Havia vezes em que sentia quão desadaptada eu era ali, naquele lugar, o jeito que minha pele ainda ardia com o frio, como minhas narinas e o fundo de minha garganta formigavam. O cheiro de lã molhada e merda de ovelha ensopada de chuva eram alienígenas ao odor seco das ovelhas de lã grossa da minha terra, em seus vastos espaços vermelhos. A terra aqui parecia me observar, sentir minha estranheza, prender a respiração até que eu passasse por ela. Uma vez eu perguntara a minha mãe: *Que tipo de australianos somos nós? Viemos com os navios ou alguém nos trouxe depois?* Mamãe me olhou, enquanto tentava vestir alguma cueca nas bundinhas brancas dos trigêmeos, e soprou uma mecha de cabelo do rosto. "Eu estive aqui desde sempre, querida", disse, e deu um tapa na perna de um dos meninos para que ele ficasse quieto. Nunca perguntei mais do que aquilo.

Tentei não olhar muito para as árvores, escuras mesmo durante a manhã, mas com o canto do olho vi uma centelha e me assustei, pensando que a mata pudesse estar em chamas. Não havia nada, porém, apenas o vento se movendo. As ovelhas tossiam e baliam. Estacionei o carrinho no galpão e fechei a porta. Meus dentes batiam de frio e, quando entrei em casa, vesti um casaco e sentei no sofá. Cão subiu para perto de mim, sem muito ânimo.

Fazia mais de um mês que eu não telefonava. Da última vez não havia ninguém em casa, e deixei tocar enquanto imaginava o telefone na sala da frente, o barulho assustando as pegas, que voariam da varanda para logo retornar. Pensava em como o ar se movia com o toque, aquele ar cheirando a roupas lavadas e esquecidas na máquina, nos três jovenzinhos com suas meias e cuecas, na antiga frigideira oleosa cujo cheiro, que eu lembrava, ainda impregnava as paredes. Os cigarros escondidos de mamãe, sobre os quais nós não deveríamos saber, e de algum lugar, por uma janela aberta, o cheiro de açúcar e eucalipto, o hálito quente das árvores.

Disquei o número que ocultaria a origem da chamada, depois a longa sequência que eu conhecia de cor. Aquilo, através de tons e silêncios, me conectava à minha casa. O sol nem teria se erguido direito, lá, mas mamãe era madrugadora – sempre havia sido. Depois de dois toques, golpeei o braço do sofá e ouvi a voz de mamãe.

"Alô, 635?", ela disse e aguardou. "Alô? Alô? Alô?"

Um suspiro, seu peito soando fraco e ofegante. Uma semana atrás teria sido seu aniversário. Setenta e dois.

"Iris!", ela chamou. "Está fazendo aquilo de novo." Um aperto em sua garganta, de resfriado ou alergia. A voz de minha irmã, abafada, vinha provavelmente do andar de cima.

"Apenas desligue o telefone, mã', pelo amor de Deus!"

"Ora, o que há de errado com o telefone?"

Iris estava mais perto agora, descendo as escadas e entrando na sala. "Como diabos é que eu vou saber?" Barulho do fone sendo tirado das mãos frágeis de minha mãe pelos dedos cheios de anéis de minha irmã. "Alô?" Sua voz, aguda como sempre, irritadiça por ser a mais velha. Ela ouviu meu silêncio. "Sei lá, mamãe, talvez tenha um pervertido atrás de você."

Pelo fone, através do ar que vinha de lá, ouvi o começo do canto de uma ave carniceira, *ceecaw-ceeceecaw* – e a linha ficou muda. De volta à sala de estar, com o aquecedor elétrico ligado e cheirando a poeira torrada, completei o canto, assobiando. *Pwee pwee pwee pwee pwee pwee pwee pwee pwee pwee pweeee.* Cão ergueu as orelhas ao ouvir, mas não era de todo desconhecido para ele. Comecei uma série de flexões, mas na metade eu deitei no chão e fiquei encarando o teto.

Fiz um pouco de café e bebi. Depois de um tempo, abri minha papelada sobre a mesa da cozinha e comecei a trabalhar. Quando terminei, deixei que Cão saísse para mijar, mas permaneci na porta, de meias. Deixei os papéis de lado e me embrulhei no sofá, com um livro que segurei fechado sobre o colo. O vento se movia entre as árvores, através da chaminé e pela sala da frente, onde fazia tremular a primeira página de um jornal.

Com a noite lá fora, fechei as cortinas da cozinha e liguei o rádio alto o suficiente para abafar o farfalhar das folhas rolando pelo caminho de pedra. A única programação que pude ouvir foram os resultados do futebol. Escutei os nomes dos lugares enquanto preparava torradas com sardinha. Wigan. Como seria Wigan? Tive uma sensação estranha só de ouvir o nome, e fiquei feliz por não ter estado lá. Dei uma sardinha a Cão que o fez espirrar.

Fazia frio na sala de estar, e comi enrolada em um cobertor. Não olhei para a escuridão fora da janela, mas podia senti-la.

Burnley, três; Middlesbrough, zero.

Quando não pude mais achar motivos para estar fora da cama, desliguei o rádio e assobiei alto e desafinadamente enquanto subia as escadas. Já lá em cima, uma pena esvoaçava em uma corrente de vento. Escovei os dentes e devo ter cutucado alguma ferida na boca, porque havia uma quantidade impressionante de sangue quando cuspi. Lavei aquilo, assoei o nariz e peguei uma camiseta velha para dormir. Cão se acomodou aos pés da cama e nos encaramos por alguns instantes, antes que eu conferisse o martelo sob meu travesseiro e apagasse a luz. Fechei os olhos, de modo a não encarar a escuridão, e tentei não dar atenção a nenhum som que parecesse estranho, mesmo que eu já o tivesse ouvido um milhão de vezes. A tosse de uma ovelha sempre soava igual à tosse de uma pessoa. Uma raposa fazia amor em algum lugar do bosque, e seus guinchos invadiam meu quarto.

Peguei no sono, porque despertei de um sonho em que via a mim mesma abrindo a porta do banheiro e encontrando lá todas minhas ovelhas, olhando em silêncio para mim. O céu continuava escuro, então não havia passado das cinco. Algo no ar não parecia bem, como se alguém houvesse acendido uma vela aromática para disfarçar um mal cheiro.

A casa estava quieta. Cão olhava por baixo da porta fechada, os pelos eriçados e as patas esticadas, o rabo rígido, apontando para baixo. Então, um rangido no teto, como se alguém andasse nele. Prendi a respiração e ouvi o sangue latejando em meus ouvidos. Tudo estava quieto, e puxei as cobertas até o queixo. O barulho do atrito entre os lençóis era bem alto. Cão permaneceu firme junto à porta. Um pequeno rosnado escapou dele.

Minhas unhas se cravaram em minhas palmas.

Da parede às minhas costas veio um ruído como se alguém riscasse com as unhas desde o teto até a cabeceira de minha cama, parando ali, uma linha direta e reta. Cão se esgueirou para a cama, rosnando baixo e longamente. Continuei quieta, sentindo cada músculo pulsar em compasso com meu coração. Minhas costas latejavam agora. Tive a sensação de ter sangrado sobre os lençóis, de que minhas costas grudariam no material e arrancariam minha pele se eu me movesse.

Pensei comigo mesma: *Ratos, há ratos nas paredes, ou camundongos, os pequenininhos com corpinhos marrons, é só isso, ou uma viga velha soltando ar, ou estalando, a temperatura lá fora despenca à noite, está fazendo esses estalidos e os camundongos ficam ouriçados, patinhando por aí, ou é a chaminé – o vento mudou de direção.*

Uma quietude submarina, nenhum vento ou chuva, nem mesmo uma corujinha, apenas um manto de silêncio. Fechei os olhos e senti o colchão afundar com o peso de Cão subindo nele, colocando-se entre meus pés. No quarto calmo, eu contava as batidas do coração. Houve um estalido seco e outra vez silêncio.

E então um barulho como se alguém enfiasse um carro contra as árvores, um estalo e um estrondo que ecoaram, depois o barulho de mãos batendo ligeiras na parede. Fiquei de pé na cama e me agachei como um touro, um travesseiro à minha frente e o martelo erguido como se houvesse alguém em quem bater. Cão abocanhava o ar à sua volta como se ele estivesse cheio de moscas.

No silêncio que se seguiu, Cão começou a uivar. Saltei para fora da cama e alcancei o interruptor. A porta agora estava aberta, colada à parede como se alguém tivesse estado ali, bloqueando a passagem, observando. O corredor para além daquilo era mais escuro e comprido do que eu lembrava.

"Vão. Se. Foder!", gritei para o corredor, respirando fundo entre cada palavra, e em torno delas pensei ouvir um sussurro de alguém falando comigo. Cão parou de uivar, soltou um gemido e correu para a escuridão do corredor. Peguei meus jeans do chão e fui vestindo enquanto seguia o corredor até as escadas.

O interruptor no alto das escadas não estava onde deveria, então mergulhei na escuridão e desci até a cozinha, onde encontrei a luz já acesa e Cão sentado sob a mesa, babando e criando uma poça no chão.

Saímos pela porta e entramos no carro, dei a partida e dirigi com as mãos trêmulas sobre o volante. Eu ia direto para a cidade, bater na porta da delegacia, mas conforme meu coração desacelerava, também eu desacelerava o carro, e parei na entrada de um terreno de onde via as luzes da cidade. Cão tremia, enrodilhado no assoalho do banco do passageiro, os olhos completamente negros. Deitei a cabeça no volante e respirei fundo até que a calma e a tranquilidade voltassem ao normal, e Cão subiu no banco deixando que eu afagasse suas orelhas. "A gente vai ficar bem", eu disse, e ele olhou para mim. "Temos alternativas. Nós somos espertos – certo? Certo?"

Observamos a luz do amanhecer encher o céu e uma coruja branca fazer sua ronda final, trazendo a alvorada, um nadador solitário em um mar vazio.

De volta à casa, a cozinha continuava a mesma, o fogão chiando com o vento que entrava pelas chaminés. Parada à porta do quarto, minha cama parecia normal. Não havia cheiro ruim, não havia nada ruim.

Arrumei os lençóis e deixei o cobertor por cima. Na beirada da colcha branca havia uma marca negra, como se eu a tivesse colocado nas cinzas de uma fogueira. Esfreguei a sujeira com a mão e ela sumiu. A parede sobre a cabeceira da cama também tinha um borrão, mas esse parecia mais uma impressão. Eu devia ter me apoiado ali enquanto ficava de pé e gritava, daí a marca evidente de uma mão com os dedos tão espalmados que a membrana entre eles deve ter se esticado até doer. Mas a mão era menor que a minha. Limpei aquilo com papel higiênico e cuspe.

4

Eis um momento em que vejo as coisas mudarem com Greg. Acordar com ele na cama se torna algo comum, e o pouco tempo que passamos juntos antes do trabalho é tão importante quanto nosso descanso após o serviço. Não ficamos olhando o outro dormir, como nos filmes; se um de nós desperta, acorda o outro com um chacoalhão. "Ei, levanta."

Não é hora para dormir. Tampouco ficamos em silêncio, um encarando o outro – falamos como passarinhos, tagarelando as palavras como se estivéssemos competindo. Faço flexões enquanto ele fala; seus pés descansam sobre meus ombros, e eu os levanto e abaixo. Ele fala sobre o pai, já morto, que podia comer um melão inteiro apenas com uma colher e a tampa da fruta cortada, como um ovo cozido. "Hehe, ele era um puta comilão. E tinha orgulho disso – teve um médico que o mandou perder peso, e ele respondeu 'Quem seria eu, então? Apenas Joe, não mais Fat Joe, e ninguém se importaria quando eu morresse'. Hehe, gordo do caralho."

Na minha vez, faço abdominais, que são mais fáceis de fazer enquanto se fala, e Greg coloca os pés sobre os meus para dar apoio. Ele nunca diz que isso é estranho, nunca fala *Cuidado, você vai ficar muito masculina.* Conto a ele sobre pedacinhos da minha vida, os pedaços de que posso falar. Aprender a tosquiar, minha amiga Karen, e indo mais para o passado, tubarões e o mato.

De manhã, Sid descobre gorgulhos na farinha.

"Eu, particularmente, não me importo", diz. "Só estou comentando para o caso de alguém se incomodar em ter o pão cheio de bichos." Há silêncio na mesa, quebrado por um grito de Alan, que vem do galpão.

Algo arrancou a dentadas um pedaço de um dos carneiros. Ele não está morto, só parece que alguém passou por ali e arrancou um naco fora. Moscas zumbem sobre a ferida. Connor dá um tiro no bicho, enquanto todos observamos. O animal se contorce.

"São só os nervos se contraindo", Denis fala para mim, como se eu fosse uma mulher histérica precisando de consolo. Mas eu apenas pensava quão rápido e piedoso era aquilo. Estar terrivelmente ferido, com moscas botando ovos em sua carne e *currawongs* rondando à espreita, e no momento seguinte, num estalo, tudo ficar bem. Vou aprender a manusear uma arma, penso. Elas são a solução.

Alan está perto de mim. "Vamos", diz, "dar uma volta de carro por aí e ver se encontramos um cachorro bravo ou algo assim." Connor e Clare carregam o corpo do carneiro para fora do curral, o resto das ovelhas observando. Não há como saber o que elas pensam.

Estou sozinha com Alan no caminhão. Isso nunca aconteceu antes, e há alguma coisa que ele quer dizer. Fica tossindo sobre o punho cerrado e depois olha para mim. Não há nada por quilômetros, nada além de um deserto de asfalto quente e, de vez em quando, um coelho em quem Alan atira e que recolhemos quando o carro passa perto. Não é exatamente silencioso, dentro do caminhão, mas tudo que dizemos são coisas como "Ali!", "Peguei o desgraçado" e "Só um pouquinho mais perto".

Depois de uma hora, quando já estou pensando no tempo perdido e quão mais adiantados vão estar os outros da equipe, Alan esvazia o rifle e suspira.

"Não tem mais merda nenhuma aqui", fala, e se vira para mim. "Eu não costumo meter o bedelho nos assuntos de ninguém", diz, e aperto a direção com mais força. "Mas faz tempo que quero dizer que não acho nada mal, você e Greg." Fico esperando por um *mas...* e não vem nenhum. "Vocês são gente boa pra caralho, e eu conheço Greg há um tempo e ele é um cara legal." O carro começa a aquecer e penso se deveria dirigir de volta para casa, ou se pareceria rude olhar o motor agora. "E você é legal, e suponho que duas pessoas legais juntas é algo legal." Alan tem o rosto vermelho, e me pergunto por que ele está nos colocando nessa situação. "É o seguinte, o que eu quero dizer é que você tem que ignorar esses malucos do caralho, e olha só, eu sei que tem um ou dois deles na equipe. Não são caras completamente ruins, mas... talvez sejam caras solitários."

"Não tenho certeza se..."

"Escuta, quero dizer para você não se incomodar com Clare. Ele é maluco. Um cara legal, mas maluco, e ele acabou se enrolando com aquele lance do garoto..." Alan sacode a cabeça. "A mãe de Arthur enviou uma carta – ele está tentando aprender a escrever com a outra mão – vai fazer um bem danado a ele, o menino mal consegue ler. Enfim."

"Ele disse alguma coisa?"

"Olha, nem tem nada a ver com isso."

"O que ele falou?" Mantive minha voz calma e os olhos no calor que subia do asfalto ao longe.

"Não é problema meu", diz Alan. "Olha, eu não quero saber o que minha equipe possa ter feito no passado. Diabos, eu tenho a merda de um passado, todo mundo tem – se você encontrar alguém que tenha escolhido vir para cá sem um passado, eu pago para ver. Denis – ele tem feito isso pela porra da vida inteira – cinquenta anos disso. Você não acha que ele deva estar se escondendo de algo?"

Ele me olha e posso apostar que ele quer que eu saiba de alguma coisa, e por um segundo penso *O que você fez, Alan?*

"O que estou dizendo", continua, "é que Clare pode ser um puta resmungão. É um cara legal, mas um puta resmungão. E eu não tenho qualquer ideia sobre ele ou seu passado. Além do que, é bom lembrar que Greg e Clare são melhores amigos. Ele só está agindo feito um cuzão porque tem ciúmes, mas não pode assumir isso porque... bom, porque é um cuzão. É difícil para ele, sendo um peão. Mas o que estou dizendo é sobre comentar essa história com Greg – deixá-lo sair uma noite com Clare, só os dois. Talvez o aquiete um pouco. E logo Clare vai ficar uma semana fora, isso também deve ajudar."

"Eu não estou forçando Greg a ficar comigo", falo. Meu rosto está vermelho e sinto uma raiva inesperada.

"Não é isso que estou falando – só estou dizendo que se temos todos que viver juntos, como temos – talvez isso seja... a melhor política a assumir." Ele respira ruidosamente. Isso foi mais longe do que ele esperava.

Em silêncio, segura os coelhos pelas orelhas, para fora da janela do caminhão. Todos eles têm um rombo nas costas. Alan os segura alto no ar, respirando com a boca aberta e olhando as gotas de sangue escorrerem dos coelhos à poeira alaranjada.

"Pensei em levar para o Sid, talvez ele pudesse fazer um guisado ou algo assim." Uma mosca pousa sobre a ferida de um dos coelhos. Recostando-se, Alan arremessa os coelhos mortos para fora do caminhão. "Ele só os deixaria com gosto de merda, de qualquer jeito." Dirigimos de volta para a estação. Estou me coçando para voltar ao trabalho.

"Pegaram um tubarão?", pergunta Greg, e sorrio para ele. Não tenho vontade de falar. Clare está de costas para mim.

Na pausa para o cigarro, Sid aparece, corado e rosnando. "Certo, qual de vocês putos retardados fez isso?", diz, parado na beirada da mesa. Olhei para o pessoal, tentando imaginar o que tinha acontecido e quem seria o responsável. Clare está rindo por trás do bigode.

"Qual o maldito problema agora?", pergunta Alan, acabado de chegar. Sid arrasta seu olhar para longe da mesa.

"Venha ver por você mesmo", diz e segue para os fundos, onde fica a cozinha, com todos nós levantando e seguindo atrás. Todo mundo se amontoa em volta de um barril, e quando Sid tira a tampa é possível ver a marca de uma bunda na farinha.

"Essa merda não tem graça!", ele grita por sobre o tumulto de risadas geral. Greg se contorce como se sentisse dor.

"Bem, uma pessoa a gente sabe que não foi", diz Alan, enxugando as lágrimas. Ele aponta para a borda da marca, onde tem outra impressão. "O criminoso tem bolas, pelo menos."

"Vamos a Boonderie semana que vem", Alan anuncia na hora do jantar. "Quente como o cu de um cachorro aquele lugar."

É o mais ao norte que chego desde que saí, mas o pessoal de Hedland não se mistura com o de Boonderie. Ainda assim, sinto a garganta seca e pego uma cerveja para me refrescar.

Sid faz pão com a farinha cheia de gorgulho e bunda, deixando-o sobre a mesa, duro que nem pedra. Ninguém vai encostar naquilo, nem mesmo Stuart, nem com um garfo.

Com a luz apagada, Greg segura meu quadril com suas mãos largas. O galpão está quente e seco. Tenho consciência de meu corpo, nessa noite, dos ossos que ficaram pesados demais para minha carne. O calor entra por sob o telhado de metal durante o dia, e fica lá à noite, deixando as aranhas sonolentas. Enrolo os dedos no cabelo de Greg, para deixá-lo saber que ainda estou ali presente e também para me manter focada. Um sapo coaxa do lado de fora, então é possível que logo a chuva martele sobre o telhado. Às vezes, quando chove, o que não acontece sempre, parece que a batucada vai derrubar as aranhas sobre minha cama.

O sapo para e uma brisa fresca invade o galpão, o tipo de vento que acompanha a chegada da chuva. Greg suspira, eu me lembro de onde estou e agarro seu cabelo com mais força. Alguma coisa escura e grande voa porta adentro, corre colada à parede mais distante e vai para baixo da bancada. Salto da cama, acertando a cara de Greg com minha virilha e arrancando um tufo de seu cabelo. "Mas que porra?", ele diz, segurando o rosto com as duas mãos.

"Tem alguma coisa aqui dentro", sussurro, mas não há sentido em sussurrar com o barulho de Greg.

"Que alguma coisa?" Ele examina o nariz com as mãos, em busca de sangue, e depois tateia o lugar de onde puxei seu cabelo. "Era só o que me faltava."

"Debaixo da bancada, alguma coisa grande." Ele olha para mim, mudando de expressão.

"Grande como?"

Procuro o martelo embaixo da cama. Não consigo encontrá-lo no escuro. Greg levanta da cama e chacoalha a cabeça um pouco, para se recobrar. Vai calmamente até o interruptor e acende a luz. Piscando, ela não faz nada além de criar sombras.

"Tipo um cachorrão."

A lâmpada para de piscar, mas ainda há sombras e lugares onde se esconder. A bancada está coberta por uma lona azul que cai até o chão, escondendo tudo. Greg pega o cano de metal que está apoiado na parede. Fico feliz por ele não ter tirado a cueca – penso *Seria tão mais horrível se ele estivesse nu.* Fiz seu nariz sangrar, mas ele ignora isso, deixando escorrer sobre o lábio enquanto segura o cano com ambas as mãos, como se fosse um bastão de críquete. Caminha devagar e com cuidado na direção da bancada, os olhos percorrendo todos os cantos procurando novas sombras. Sinto os pelos de minha nuca se arrepiarem. Tento não pensar em Kelly, ou imaginar Otto do lado de fora com uma arma na mão, observando. Segurando uma navalha. Ele vai dar um tiro em Greg e depois me matar devagar. Kelly vai morder o ar perto de minha cara, enquanto me vê morrer. Ele vai cortar minha mão fora e dar a ela como um prêmio. *Kelly está morta*, penso, mas não é um pensamento reconfortante.

Seguro a ponta da lona e olho para Greg, que ergue o cano pronto para bater no que quer que saia correndo. Faz um sinal para que eu conte até três e levante a coberta, então faço a contagem e puxo a lona. Sob a bancada não há nada. Greg larga os braços ao lado do corpo e o cano ressoa ao cair no chão.

"Jesus", ele fala, "se você não estava afim era só dizer."

Olho para ele, tentando descobrir se é uma brincadeira, mas não sei dizer.

Mais tarde, quando ele já dorme ao meu lado, levanto da cama e, com cuidado para não acordá-lo, visto uma bermuda e uma camiseta e saio do galpão. Faz frio do lado de fora. Concentro-me em respirar, sugando o ar gelado, soprando o ar quente. O céu noturno está repleto de estrelas e me sento sobre a cerca, ouvindo as cigarras e os pássaros da noite, os guaxinins e ratos e todas as coisas vivas que estão por aí respirando junto comigo. Não muito distante, o rebanho é um amontoado denso. Sinto o impulso de ficar sozinha, de não dar satisfação a ninguém, a segurança de ser desconhecida e estar longe. Sinto um leve movimento às minhas costas e viro no momento exato de ver uma sombra aparecer no vão da porta. Mas é Greg, conheço sua forma, e ele não queria que eu o tivesse visto, e eu não queria que ele tivesse me visto, e quando volto para a cama, uma hora depois, ele finge dormir e eu finjo dormir e em pouco tempo estamos os dois dormindo. Pela manhã, ele me olha nos olhos, bem de perto.

"Jesus", diz, "parece que você tomou um murro em cada olho."

5

Por dentro, a delegacia cheirava a sopa de tomate. Uma policial de rabo de cavalo sorria detrás da mesa de recepção.

"Olá e como posso ajudá-la hoje, senhora?", ela disse, corando um pouco. Eu estacionara na frente da delegacia, pensando que ficaria ali sentada algum tempo pensando no que dizer, mas na hora em que puxei o freio de mão vários rostos apareceram nas janelas do prédio. Tentei não encará-los, tentei me mover do mesmo jeito e na mesma velocidade que faria se ninguém estivesse olhando, mas não lembrava como. Sentia meus braços compridos demais, e, na hora que atravessei a rua vazia, minha bunda parecia ter mais controle sobre as pernas que o normal, e acabei rebolando de um jeito estúpido escada acima.

Pensei sobre a evidência que tinha. Seria calma e clara. Reprisei o dia anterior em minha cabeça, procurando por coisas que informar, quando me perguntaram: *Você percebeu algo fora do comum?*

Pela previsão, nevaria no começo da tarde, mas isso não abalou minhas ovelhas, que continuavam apoiadas umas contra as outras, olhando-me enquanto eu passava entre elas e borrifava suas patas contra doenças. Quando terminei, por volta das 15h30, Cão havia rolado em bosta de ganso e o vento soprava forte, jogando grossas gotas d'água em minha cara. Desci a colina na direção do vento marinho, ao sul. Fazia frio, algumas folhas mortas se agarravam às faias. Cão desembestou à minha frente, para o perímetro do bosque, negro mesmo contra a escuridão fosca das árvores, os ouvidos aguçados. Ele foi tragado pela mata, causando um alvoroço entre os melros, que gralharam alto e foram pousar em outras árvores, agitando as penas e balançando suas cabeças. Era um pega-pega que Cão não teria como vencer, reaparecendo dez minutos depois todo cansado, com a língua de fora e cheio de lama.

Procurei por marcas estranhas, excrementos ou pelos presos à cerca, mas tudo que achei foi um punhado de pelotas de gavião. Coloquei as mãos nos bolsos e senti a aspereza daquilo, como animais compactos, com os ossos das pernas dobrados para dentro dos corpos cinzentos e emplumados, meus dedos esmagando-os enquanto eu caminhava.

Eu havia parado na escada que dava acesso à trilha de cavalgada, abrigada pelos arbustos de espinheiro que dividiam os campos de cima e de baixo, se estendendo por todo o caminho até a trilha costeira. Se você parasse no lance de escadas poderia ver, no campo de baixo, os bosques e minha cabana, seus dois andares parecendo atarracados contra o sopé das colinas. Fumei um cigarro. Lá embaixo, uma das ovelhas pastava no lugar em que a grama ainda estava escura pelo animal morto. Elas não guardavam ressentimentos, as ovelhas.

No começo da escada havia bitucas de cigarro espalhadas pelo chão. Não do tipo que eu fumava – essas eram sem filtro e haviam sido mastigadas até que as pontas ficassem chatas e úmidas. Contei sete aos meus pés.

"Crianças infelizes", falei a Cão. Fumei o cigarro inteiro e depois o apaguei no chão, na marca escurecida que outros fumantes já haviam criado com os seus. Recolhi as bitucas e as coloquei todas na minha caixa de fósforos vazia. Seguimos para a trilha dos cavalos e depois para a praia, com o sol começando a se pôr detrás das nuvens.

Houve um estrondo que podia ser trovão, e Cão se colou ao solo, levantando em seguida e olhando para mim. "Não foi minha culpa", eu disse. Ele aceitou a explicação e voltou a revolver a grama no lugar em que costumava achar algo que havia se enterrado ali para morrer. Não tinha jeito de saber por quanto tempo minha ovelha vivera, até onde se arrastara antes de morrer, o que havia visto.

Percorremos rapidamente a pequena distância da baía, e tirei de meus bolsos aquela poeira de ossos e pelos. Na última luz do dia nós voltamos colina acima, com o vento às nossas costas.

Os corvos se empoleiravam nas árvores como botões de flores ainda não abertos. Senti o estômago roncar e pensei no frango que comprara no fim de semana. Eu devia fazê-lo ensopado, mas levaria tempo demais. Seria mais fácil amaciá-lo e jogar no forno, comendo com pão assim que ficasse pronto.

Quando fiz a curva do caminho, fiquei paralisada. Havia um homem de pé no resguardo da sebe, com as mãos nos bolsos e olhando direto para a frente. Tinha um cachecol de seda enrolado até a metade do rosto e vestia terno. O cabelo estava bem penteado e ele tinha uma sacola plástica pendurada no pulso. Continuei andando como se não o tivesse visto, mas cerrei os punhos até que eles estalassem. Eu conseguia sentir seu cheiro, como o de legumes velhos. Seguimos rápido para casa, já sem pensar no frango. Cão soltou um grunhido baixo, mas continuou andando perto.

"Crianças de merda", falei outra vez, para mim, só para ter algo a dizer. Tentei não correr. Entrei em casa e carreguei a arma. Olhei para o telefone e tranquei a porta.

"Eu gostaria de denunciar um invasor", falei, e a policial atarefadamente registrou algo no computador. Olhou novamente para mim.

"Seu nome, por favor?" Olhou-me de cima a baixo, de um jeito que esperava não ser notado, imagino. "E, ahn, sua idade?"

Um policial saiu por uma porta atrás da recepção. Tinha cabelos grisalhos nas têmporas e um agasalho que parecia confortável sobre o uniforme. "Pode deixar que eu assumo, Gracie", ele disse, com ar afetado. Uma expressão de reprovação cruzou o rosto da mulher.

"Sim, sargento", ela respondeu, digitando mais botões do teclado, bastante rápida.

"Por aqui, faça o favor." O sargento abriu uma porta de acrílico que dizia NÃO ENTRE e me conduziu para dentro. A policial nos olhava pelo canto do olho. Senti minha bunda tomar conta de minhas pernas outra vez.

"Terrível esse frio, não é?"

Concordei.

"Preciso usar dois suéteres." Sorriu e ajeitou a gola do casaco. "É sempre um mês ocupado", disse enquanto me mostrava o corredor, "com Natal e Ano Novo, e tão perto do festival da cerveja – a gente recebe muitas excursões do continente."

Rostos apareciam nas portas em que passávamos, as pessoas se inclinando das cadeiras para me olhar.

"Oh", respondi.

Ele abriu a porta de seu escritório e franziu o rosto, rindo baixo. "O maior problema é logístico mesmo." Fez um gesto na direção de uma cadeira, para que eu sentasse, e sentou-se detrás da mesa, recostando-se. Reparei na janela e em sua vista para a floresta Hurst. Entre as árvores, as antenas pontiagudas que denunciavam a prisão. "Veja você, os organizadores do festival não oferecem mapas do lugar, e tenho que mandar minha equipe lá para tomar conta – para dizer aos ônibus onde estacionar, responder perguntas, pra organizar a coisa toda, na verdade."

"Entendo", eu digo.

"Se quiser minha opinião, é tudo culpa dos financiadores – não dá para ter um festival se você não consegue bancar o apoio necessário para isso." Bateu as mãos na mesa com firmeza e eu me mexi na cadeira, e houve uma pausa.

"Eu gostaria de denunciar um invasor."

Ele me observou. "Ora, aqui temos um sotaque que não costuma aparecer por estes lados. Eu não tinha percebido antes, mas está aí, não está?"

Sorri desconfortável e respirei fundo para continuar, mas ele atalhou:

"Meu genro é australiano", ele disse, acenando com a cabeça. "Os dois se conheceram em uma conferência em Cingapura, você acredita? Ela trabalha no RH."

Tentei calcular o tempo que deveria esperar para mudar de assunto de forma educada.

"Estão em Adelaide, agora. Claro que minha mulher fica o tempo todo dizendo que devemos ir lá, mas eu penso que eles podiam vir para cá – tenho um problema com aranhas, sabe? Você faz ideia de quantos tipos diferentes de aranha existem?"

"Eu..."

"Quase três mil. Sabe quantas pessoas são picadas por ano? Quase quatro mil." O policial recostou em sua cadeira e olhou para mim. "Faça as contas."

"Olha", sorri, dentes à mostra, "é que eu vivo sozinha e..."

"Ah, é um lugar solitário para se estar sozinha. Uma jovenzinha como você deveria estar com alguém. Isso a animaria."

"Não é esse o problema", continuei, tentando não ser muito rude. "É que alguém tem matado minhas ovelhas, e agora apareceu um maluco rondando minhas terras."

"Então você é fazendeira? Ovelhas, é? Ora, não seja modesta, é um trabalho duro."

"É. Olha, será que a gente podia..." Eu sentia um calor exagerado.

Seu rosto assumiu uma expressão completamente diferente. "Certo. Vamos registrar uma queixa, assim você vai se sentir melhor e vai poder voltar para suas ovelhas rapidinho."

"Ótimo. Obrigada."

Ele tirou papel e caneta de um gaveta em sua mesa. "Nunca pude me acostumar com computadores – vou deixar isso com Gracie e ela vai digitar tudo, sem problemas. Agora, qual seu nome, criança?"

"Do que você me chamou?"

O ar da sala ficou denso.

"Ahn? Que foi?" Alguém na sala ao lado tossiu. Provavelmente estavam ouvindo a conversa. O sargento olhou para mim, surpreso e com um sorriso gentil. "Só preciso do seu nome."

Mordi a ponta da língua. "Jake Whyte."

"Endereço?"

"Coastguard Cottage, Millford."

Ele olhou para mim, como eu sabia que faria. "Ah, tudo faz sentido agora. Você mora na casa do velho Don Murphy."

"Sim. Eu a comprei dele."

"Nunca a vi por aqui. Ficamos todos nos perguntando, assim que você apareceu."

Sorri. Mais dentes.

"Você devia ir ao pub, fazer alguns amigos. Assim não se sentiria mais sozinha."

"Eu não me sinto."

"Ora, se você diz."

"Duas de minhas ovelhas foram mortas."

"Acha que foi um cachorro selvagem?"

"Não. Elas foram esvisceradas, ficaram em pedaços."

"Bom, a gente se surpreende com o que os cachorros podem fazer – eu vi um *lurcher*[1] correr atrás de uma raposa uma vez, e só com a força do focinho ele rasgou as costelas do bicho, ficou tudo aberto – não tinha nem usado os dentes e a raposa já era caso perdido. Não muito depois daquilo, posso dizer, ele meio que cuspiu fora o próprio estômago. Não me importo em contar isso, foi uma coisa dura de se presenciar."

"Tem umas crianças vadiando por lá."

"A ilha não é um lugar bom para crianças, posso te dizer – depois de certa idade, de todo modo. Elas ficam entediadas. O festival da cerveja é praticamente tudo que elas têm, e mesmo assim não era para elas participarem." Apontou a caneta na minha direção. "Mas vou te dizer o que faremos. Vou trocar uma palavrinha com eles, fazer com que parem de importunar você."

---

1   Cão mestiço de galgo e pastor escocês.

"Como você vai saber quem são?"

O sargento bateu a ponta do dedo na lateral do nariz. "Tenho um sentido muito bom para achar encrenqueiros. Onde você as encontrou?"

"Na Military Road."

"Military Road? Pensei que fossem invasores."

"Não, esse era outro, na trilha que segue até a praia."

"Bom, isso não é uma invasão, é?"

Lutei contra a vontade de voar em seu pescoço e, em vez disso, apertando os braços da cadeira, falei devagar e claramente:

"Estava escuro e ele não devia estar ali."

O sargento apertou os olhos. "O que você estava fazendo lá?"

"Tinha saído para caminhar, mas eu moro lá! Olha..."

Ele se recostou na cadeira. "Ouça, senhorita Whyte, a verdade é que ninguém fez nada."

"Minhas ovelhas."

"Elas morrem o tempo todo – é como se elas estivessem tentando ser mortas, era isso que meu tio sempre dizia, e ele devia saber porque tinha uma fazenda de quarenta hectares no País de Gales, criava ovelhas *blackface*, não havia nada mais saboroso."

"Não acho que você está levando isso a sério", eu disse, sentindo ser a coisa mais hesitante que eu já falara em toda minha vida.

Sua expressão pareceu sentimental, e ele falou suavemente. "Estou levando a sério, senhorita Whyte. Estou considerando seriamente sua felicidade e saúde. Viver sozinha com toda essa responsabilidade? Uma mulher da sua idade? Isso não está certo. Você precisa vir à cidade de vez em quando, precisa fazer amigos. É uma pena que o festival já tenha passado, porque mesmo que eu reclame dele, pode ser bem divertido." Fechou seu caderno e sorriu para mim.

Pisquei e fechei minha boca. De pé, tentei não tropeçar enquanto caminhava para o corredor. O sargento caminhava ligeiro atrás de mim.

"Você pode sempre nos ligar caso se sinta um pouco preocupada – e se vir aquele camarada outra vez – e ele estiver em sua propriedade – deixe-me informado."

A policial se virou para me olhar brigando com a porta de acrílico, com a qual o sargento teve de me ajudar. Ele tentou me conduzir com a mão em meu ombro, e me afastei dele.

"Firme aí", ele disse, como se eu tivesse tropeçado.

Desci os degraus da delegacia e uma chuva fraca cuspiu em meu rosto quente.

"Tenho uma ideia", chamou o policial enquanto eu entrava no caminhão. "Traga alguma peça de carne ou lombo para a rifa – toda quarta no Blacksmith's – que você vai fazer amigos!"

Eu estava vagamente ciente dele acenando enquanto eu ia embora, mas não acenei de volta.

Era muito cedo, mas eu podia ver a luz acesa na casa de chás e o carro do dono estacionado em frente. Bati na porta e espiei pela janela, com as mãos arqueadas, para ver quem estava lá. A senhora que tomava conta do lugar, que até era simpática, olhou para mim e vi sua boca dizendo *Estamos fechados*, mas continuei lá, olhando para ela. Depois de um tempo olhando de volta ela pareceu se dar por vencida, e caminhou até a porta balançando a cabeça. Dei um passo para trás, para que ela pudesse abrir a porta.

"Estamos fechados – não abrimos até as onze – não tem nem ônibus rodando ainda."

O pequeno ônibus amarelo era o que trazia turistas vindos da gruta dos piratas para a casa de chás, que se autoproclamava um lugar bonito. Ficava virada para o mar cinzento, do lado em que não dava para enxergar o continente. Se você fosse até lá nos horários errados ou durante o verão, encontraria famílias e crianças berrando, fazendo bagunça, xingando umas às outras. Quando eu ia, tentava sempre ser a primeira a chegar, assim o lugar ainda estaria tranquilo, as mesas limpas e o ar ainda não repleto pelos bocejos dos pais e os peidos dos filhos.

Não arrisquei dizer nada, simplesmente fiquei parada ali. Era do que eu precisava. Finalmente, a mulher deu um suspiro e abriu a porta para que eu entrasse.

"Não posso ficar fazendo isso, sabia?", ela disse, e eu limpei as botas no tapete, antes de entrar. "As coisas nem estão arrumadas – eu estava limpando o chão. Jacob nem trouxe os pãezinhos ainda, então você vai ter que se contentar com os de ontem." Sem esperar por uma resposta, apontou uma mesa perto da janela e eu me sentei. "E as mesas também não estão postas, então você vai ter que esperar." Não respondi *Não se incomode em pôr a mesa para mim*, porque eu queria uma mesa posta. Com a toalha de papel branco e o horrível jogo americano por baixo do prato e da xícara de café. Eu queria tudo a que tinha direito, como se eu fosse comer um bolinho usando garfo, colher e faca. Três colheres diferentes, uma para o café e uma para a geleia e uma para o creme. O pegador no açucareiro. Todas essas coisas e a vista do mar cinzento, e nada além disso.

A mulher era gentil até quando estava brava. Limpou minhas pegadas enquanto voltava para a cozinha, depois veio arrumar a mesa enquanto eu me recostava no assento para dar espaço. Então sumiu, e quando apareceu outra vez trazia um avental de renda branca na cintura, talvez um pouco de batom nos lábios. Mas nem anotou meu pedido, porque já sabia o que eu ia querer. Logo que cheguei na ilha, eu tinha passado vergonha ao pedir um *Devon cream tea*.[2]

"Acho que você vai ter de se contentar com um chá da ilha", ela havia dito.

O pãozinho estava amanhecido, ainda que ela o tivesse aquecido para tentar amolecê-lo um pouco. Não fazia diferença. Passei a coalhada com uma colher, a geleia com outra e olhei para o mar enquanto o enfiava na boca. Eu não gostava de nata, mas era tranquilo se você tomasse um café forte junto. Aqueci as mãos em volta da taça de café e olhei para a cadeira vazia à minha frente, como se ela pudesse falar. Ela não podia.

Conforme seguíamos o caminho para a porta da frente, Cão ergueu as orelhas e suas costas se arquearam. Apreensiva, pensei na arma no armário do andar de cima. Tentei abrir a porta devagar, mas Cão passou por ela em disparada, suas unhas batucando o chão da cozinha e escada acima. Pensei ter deixado um cajado grosso perto da porta da frente, mas ele não estava mais lá. Havia um cheiro parecido com entranhas de animal. Cão, fora de vista, ladrava e mordia, e peguei uma frigideira antes de subir as escadas, segurando-a sobre minha cabeça.

Um estrondo veio de perto do meu quarto. O corrimão tremia enquanto eu voava escada acima. No alto da escadaria, Cão dançava em volta de uma pomba enorme, suas asas no ângulo errado, um fio de sangue sobre as costas.

"Cão!", gritei, e ele me olhou, não mais enfurecido. Seu rabo balançava e havia uma pena pendendo de sua boca.

2   Espécie de chá da tarde, com pãezinhos, nata e geleia, típico do sul da Inglaterra.

Relaxei os braços e respirei fundo, agarrada por um momento ao corrimão. Cão estava com a língua para fora, e o segurei pelo pescoço antes que ele atacasse outra vez.

"Certo, pombinha, certo." A ave olhou para mim. Eu podia ver seu coração se movendo no peito, e tudo que havia a fazer era pegá-la nas mãos. Carreguei-a pelo meio do corpo, tomando cuidado para não pegar as asas destruídas. Seu coração zumbia, mas ela ainda estava em minhas mãos. Cão gania.

"Cão", eu disse. "Não." Ele sentou, levantando-se em seguida.

Uma das patas do pássaro tremia, e havia um anel em torno dela. Com uma mão, segurei a pomba contra meu peito, e com a outra mão peguei o anel. Era apenas um número de telefone, e isso era bom – eu não precisaria tomar a decisão sobre torcer seu pescoço ou não.

"Traga o telefone", falei para Cão.

Nós três fomos juntos ao telefone e discamos o número.

O homem que atendeu não disse alô, mas "Esler".

"Tenho uma pomba com seu telefone nela", falei.

O homem permaneceu quieto.

"Sua asa está machucada."

"Está morta?", perguntou.

"Não, apenas ferida. A asa."

O homem soltou um suspiro. "Coloque-a em uma caixa de sapatos, deixe-a aquecida e hidratada. Se conseguir sobreviver à noite, ela vai lhe deixar saber assim que estiver boa o suficiente para voar para casa."

Ele desligou.

"Escroto", falei para a pomba. Todos os tênis que eu comprava vinham em sacolas plásticas. Dei outra olhada para o pássaro, notei um de seus olhos fechados e a cabeça tombada para o lado. Enquanto falava com o homem ao telefone, havia apertado tanto o bicho que ele agora estava morto.

Peguei a pomba, embrulhei-a em jornal como se fosse um peixe fresco, e segui para a praia. Cão saltitava do meu lado com um brilho assassino nos olhos, e tentei manter o clima suave, não como se eu tivesse acabado de matar um pombo amestrado. Não era uma praia bonita para um enterro marinho. Algumas algas marinhas haviam sido jogadas sobre as pedras e pululavam de piolhos do mar. Pedras negras se erguiam por toda parte, e era fácil se perder se não se conhecesse o caminho de volta. Eram impressionantes os lugares onde os ingleses levavam suas crianças – logo que cheguei, cruzei com uma família jovem, com lama até as coxas, caminhando sobre espinheiros e perdida no escuro, com crianças pequenas nas costas. A mulher tinha marcas de lágrimas no rosto, e a expressão do homem era de gratidão pela carona de volta a seu albergue. "Não é um lugar bom para ficar perdido", eu me divertira dizendo a eles, enquanto dirigia. "Vocês estavam a bem poucos metros de um despenhadeiro bastante íngreme." O que era uma meia verdade.

No primeiro verão que passei na ilha, fizera meu chá na praia, bebera cerveja enrolada em um lençol, ouvindo as ondas estourarem e observando as luzes surgirem no continente, enquanto meus olhos se acostumavam com a escuridão e a lua despontava no horizonte. Eu tinha pensado em fazer o mesmo no verão seguinte, mas a pausa entre as chuvas foi diminuindo e às vezes, perto do pôr do sol, a praia tinha um cheiro entre borracha queimada e silagem.

Cão mastigava um caranguejo morto. Ouvi-o se quebrar, virando farelo. Começou a garoar, e seus pelos ficaram com uma camada prateada. Quando terminou com o caranguejo, viu algo sobre a grama seca na areia e aguçou os ouvidos. Correu para a escarpa, as patas rápidas, e sumiu por trás de uma duna, cada passada ganhando velocidade. Quando ele estava ocupado o suficiente para não caçar a ave na água e fazê-la em pedaços também, entrei na água com minhas galochas e descobri que ambas tinham pequenos furos, pequenos o suficiente para serem invisíveis a olho nu, grandes o bastante para deixar entrar água congelada, que esfolavam meus calcanhares e enregelavam minhas meias. Desenrolei a pomba dos jornais e deixei-a flutuar pelo mar adentro. Ela tentou voltar algumas vezes, mas, por fim, depois de alguma insistência, conseguiu passar a rebentação, o peito branco e a asa quebrada apontados para cima enquanto ela seguia mais e mais para longe, até afundar, como se o mar a tivesse engolido. Cantarolei a música do *Titanic*.

6

No extremo de Kambalda há um pub de tosquiadores que não é nada mais que um galpão galvanizado, com um bar e mesas feitas de vigas ferroviárias. Eles servem uísque em canecas e todo o resto é enlatado. Espera-se que você traga seu próprio isopor de bebidas, e faço uma nota mental para comprar um assim que encontrar uma loja, algo que pode demorar semanas. Estou no bar, girando uma caneca de uísque nas mãos e demorando mais que o normal porque tenho a sensação de estar fora de mim, porque sei lá como vim parar nesse bar no meio do deserto, com cheiro de churrasco entrando pela porta, com esses homens todos e nenhuma mulher por perto, e como isso traz um conforto estranho, e quanto tempo vai demorar até que alguma coisa me encontre outra vez e eu tenha que ir para outro lugar. Um dos caras mais jovens, Connor, se aproxima e se larga perto de mim.

"Tudo certo?", pergunta.

Faço que sim.

Ele inspeciona a sujeira em suas unhas, conclui que está bom do jeito que está, e começa a enrolar um cigarro. "Está se dando muito bem, para um mina." Olho para ele, que aponta para o tabaco, as sobrancelhas erguidas.

"Valeu", eu digo, e ele pega outro papel para enrolar um cigarro para mim. Fiz um amigo.

"Então, onde você estava antes de vir para cá?", ele pergunta, e sinto uma agitação percorrer meu corpo.

"Trabalhei na fazenda do meu tio, lá no norte." Tenho ódio de mim, não por mentir, mas porque é uma mentira idiota e eu devia estar mais preparada.

"Seu tio tem uma fazenda? Em que lugar do norte?"

Não pense ou ele vai saber que você inventou tudo.

"Marble Bar."

"Marble Bar? Conheço o lugar – talvez eu tenha trabalhado com ele. Qual seu nome?"

Sinto o suor brotar sobre meus lábios e em minha testa. Esforço-me para controlar o rubor em meu rosto.

"Ele morreu", respondo. "Está morto, foi realmente feio."

Connor faz uma careta. "Cristo, sinto muito em ouvir isso." Ele parece desconfortável, mas abre a boca e sei que ainda está interessado no nome do meu tio, então atalho com uma história que simplesmente surge do nada.

"Ele foi pisoteado." Connor ainda aparenta querer uma resposta, então eu o ignoro. "As ovelhas se assustaram com uma tempestade – foi uma loucura." Tenho certeza de que Connor nunca ouviu falar em uma morte por pisoteamento de ovelhas. Por um momento ele parece achar que estou brincando, e para acabar com as dúvidas eu digo: "A cabeça foi arrancada".

Independentemente de ter acreditado ou não em mim, os olhos de Connor se arregalam e ele para com as perguntas.

Talvez pense que sou clinicamente louca, o que é aceitável. Ergue sua bebida. "Caralho", diz. "Quer dizer, pai do céu – coisas como essas podem acontecer a um cara trabalhando nesse tipo de lugar. As ovelhas podem ser umas filhas da puta – não são leais, não como os cães." Ele me estende um cigarro e acende o meu antes do dele. Bate suavemente sua lata em minha caneca. "Ao tio..." E faz uma pausa para que eu complete.

"John." Digo o nome do meu pai, um nome que sempre pareceu extravagante e muito europeu para ele.

"Ao tio John." Viramos nossas bebidas e vamos sentar de novo à mesa.

Clare está importunando o garoto, chamando-o de nomes que não significam muita coisa mas que fazem Bean corar, como se seu nome verdadeiro já não fosse ruim o suficiente. *Saco Gelado, Teta Azeda, Chorão Xoxota*. Ele não vai deixar o garoto em paz, mas é realmente engraçado.

"'Bora, Dor no Saco", diz Clare, "mostra pra gente onde estão suas bolas." Ele puxa um banquinho para perto de mim e gesticula para que Bean se sente. "Vamos ver quem ganha essa briga, você ou Alice, a Grande."[1] A maioria dos homens ri, mas não todos. Há um breve momento em que Bean e eu nos encaramos. Preferia que isso não estivesse acontecendo, mas assim que ele senta em minha frente, com uma espécie de determinação bêbada, imagino que eles podem parar de implicar com ele caso eu o deixe vencer. Mas eu não vou deixar, percebo isso na hora em que coloco o cotovelo sobre a mesa. Bean vai ter que se virar sozinho. Ele pode ser pequeno e esquisito, mas eu sou uma

---

[1] Alice the Goon, personagem de quadrinhos que faz parte das histórias do Popeye.

mulher em uma fazenda de ovelhas. Damos as mãos, posicionamos os cotovelos para que todo mundo se dê por satisfeito, e o dinheiro começa a aparecer. Noto o olhar de Greg, e ele sorri para mim, apostando vinte dólares. Vejo o bíceps de Bean, branco e inchado como uma batata, e todos fazem uma contagem regressiva. O rosto do garoto fica vermelho e bravo, os lábios entre dentes, e nem é tão moleza assim. Ele tem alguma força, mas em grande parte é a força do medo, como naquelas histórias em que crianças levantam caminhões de cima de seus pais. Nossos punhos se agitam no centro, mas em pouco tempo Bean já gastou toda sua autoconfiança, seu rosto sua e ele está cansado e acabado. Começo a empurrar seu braço para baixo e noto em seu olhar a imensa decepção. Ele pensava que aquela seria a vez em que os homens o carregariam nos ombros, em que sua força seria maior que a aparência, mas quando estamos a três quartos da queda ele já não tem como vencer, e eu acabo com ele enquanto todo mundo grita e comemora. Bean deita a cabeça sobre o braço exausto.

Mais tarde, quando estou bêbada e Bean foi novamente relegado ao fim da mesa, onde de vez em quando Denis lhe faz alguma pergunta e não espera para ouvir a resposta, Greg senta em minha frente e coloca seu braço enorme em posição. Rio, ele ri e eu coloco meu braço em posição também, como se estivéssemos a ponto de competir, mas tudo que fazemos é dar as mãos e pronto.

"Mulher forte", ele diz.

De manhã, desperto no meio do abraço de urso de Greg. Seguro a respiração e conto até cinquenta. Ok, falo para mim mesma, ok, e verifico meu corpo dos pés à cabeça. Estou toda aquecida e nada dói, exceto o pescoço que ficou apoiado em seu ombro. O cheiro de Greg, lanolina e uísque que ele suou durante a noite.

O sol está se erguendo e falta pouco para o sinal do começo do trabalho. Com a ressaca se arrastando por minhas entranhas, tento rolar devagar para fora da cama. Já sentada, estou quase fora da cama quando Greg se levanta de onde estava, rugindo como um leão, me agarra pela cintura e me coloca de volta na cama, rosnando e grunhindo em minha nuca enquanto me aperta com força. Demoro alguns segundos para perceber que é brincadeira, e rio.

Igual às outras vezes em que isso aconteceu, vamos passar o resto do dia trocando pequenos olhares, e vou me sentir preocupada, e bem, e enjoada, e vou tropeçar em meus próprios pés. É simples, de um jeito que eu não pensava ser possível. Nas paradas para o cigarro ele vai se sentar de frente para mim, no banco, e tocar meus joelhos sob a mesa, e quando eu olhar ele vai piscar. As coisas correm de um jeito que eu nem penso em afastar sua mão quando ele me toca, e até mesmo me choco ao andar em sua direção quando ele está curvado lavando as mãos sobre um balde, e dou um tapa em sua bunda antes mesmo de me dar conta disso. Ele pula e abre um sorriso que divide seu rosto – é um rosto de que gosto, largo e de riso fácil.

Clare não aparece para o chá e eu o vejo ao telefone, atrás do galpão. Ele está balançando a cabeça e olhando para mim de um jeito que não gosto. Vira-se de costas, terminando a ligação. Bebo bastante e me sinto melhor. Deve ser só paranoia, e beber pode ajudar.

"Quem era?", pergunta Greg, quando Clare volta à mesa. Ele não costuma usar o telefone, nenhum de nós costuma, a não ser o coitado do Bean, que tem saudade da namorada de dezesseis anos que ficou em Rockhampton.

Os olhos de Clare faíscam. "Só Ben – contando como ele é escroto, como está gostando da faculdade e como vai estar rico e vivendo em um ar-condicionado da próxima vez que o virmos."

"Ha!", exclama Greg.

"Babaca", diz Connor.

Clare olha para mim e sorri. Viro-me sobre meu assento.

Bean senta-se longe de todo mundo. Greg passa por ele e coloca uma cerveja à sua frente, sem falar, e o rosto do garoto se abre e ele parece feliz, sentado ali mastigando sua carne e bebendo uma cerveja.

Mais tarde, Clare não está muito bem com a bebida, e até Denis parece se divertir tirando sarro dele.

"Está ficando um pouco mole aqui no meio", diz, cutucando a barriga de Clare com o dedo ossudo. "Acha que isso te faz mais lento lá no barracão?"

"Vai se foder, velho cuzão", responde Clare, mas isso só faz Denis rir com brilho nos olhos. Denis é velho demais para ficar ofendido, então Clare se vira para mim. "'Cê sabe", começa, "eles não deixam uma mulher ir para o mar – dizem que dá azar. Dizem que uma mulher vestida à bordo traz má sorte, irrita o mar." Estufo o peito e olho direto para ele, mas Clare não quer me olhar nos olhos. Sei que pareço durona, mas sinto algo ruim por dentro.

Ele engole o resto de sua bebida. "Isso não está certo, não está certo!", vocifera. "Na época do meu velho, de jeito nenhum permitiriam isso."

"Sei lá", diz Greg, "seu velho deu a você um nome de menina. Imagino que ele era bastante liberal." Todo mundo ri um pouco.

Clare está completamente vermelho, e Greg sorri por trás da bebida. Clare se levanta de súbito e vacila sobre o banco.

"'Cês são tudo pau no cu", diz, e se precipita pela noite afora.

Com Greg respirando como um cargueiro a meu lado, rascunho mentalmente um contrato com meu pai. Isso não vai durar para sempre, vou continuar me movendo. Em troca, ele vai continuar a ser encoberto por essas novas memórias, só por um tempo. Agora, ele existe apenas como o dinheiro na minha conta. Eu só consigo lidar com isso porque não há nada aqui, ainda, que me conecte com aquele tempo, com aquelas pessoas, a não ser as marcas em minhas costas, que já estão cicatrizadas o suficiente para parecerem fazer parte de um passado diferente.

Pela manhã, Greg corre os dedos por minhas cicatrizes. "Essas são demais", ele diz, com admiração verdadeira na voz. "Onde as conseguiu?"

Viro para ele e começo a contagem regressiva, como se adiantasse de algo. "Relacionamento ruim."

Ele se mexe na cama e coloca a mão em minha nuca, como se eu precisasse de conforto por algo. Posso me deixar acreditar que sou, pelo menos agora, algum tipo de vítima. Ele beija o alto de minha coluna e diz "Vou matá-lo". E lá está, a mentira, e ela se torna real, outro contrato assinado, datado e carimbado.

Ouvimos um grito, que se transforma em berro. Greg corre para fora da cama, de cuecas, e vai na direção do barulho. Na hora em que chego no barracão, todos estão reunidos em volta do esmeril. Há sangue esguichado na parede e Bean está no chão, soluçando e segurando o que restou de sua mão. Greg tenta fazer com que ele segure a mão acima do coração, mas o garoto não consegue, é incapaz de parar de olhar para aquilo.

Alguém sai para chamar os Flying Doctors[2] e Alan aparece correndo, o rosto branco e vermelho ao mesmo tempo. Empurra os homens para fora do caminho e se agacha ao lado de Bean, examina a mão e estende a sua para Connor. "Dá essa maldita camiseta", diz com calma, e Connor se despe.

"Certo, Arthur", Alan diz para Bean, "os médicos já estão vindo." Rasga a camiseta em duas tiras e amarra em volta do pulso do menino, com tanta força que me faz estremecer. "Não há nada que fazer aqui", ele diz enquanto Bean ainda soluça. Ele já era.

"Que porra ele estava fazendo na merda do esmeril?" Alan sibila em nossa direção. Clare está de pé ao fundo, com a mão sobre o rosto, e ergue o braço.

"Ele estava amolando minha ferramenta para mim." Segue-se um silêncio ainda mais profundo que antes, e todos se voltam para olhar para Clare. Alan está com a boca aberta, mas não diz nada. Clare se distancia um pouco de nós.

"Vamos ligar para sua mãe", Alan diz para Bean. "Ela vai estar lá na hora em que levarem você."

Quando o avião aterrissa, eles estão preocupados com a perda de sangue, e Alan segue junto para o hospital. Os lábios de Bean estão azulados enquanto ele é carregado para o avião, Alan de um lado e o médico de outro. Clare não para de chutar um tronco largado no chão.

Continuamos o trabalho, e eu volto a pegar no pesado sem que ninguém mande. Parece a coisa certa a fazer. Clare

---

2   Nome popular do Royal Flying Doctor Service of Australia, serviço de resgate ambulatorial aéreo que cobre as áreas desertas do interior da Austrália.

está devagar e mal chega a cumprir sua cota. Ninguém fala. Na manhã seguinte, Alan está de volta e é possível ouvi-lo seguir direto a Clare, atrás do dormitório.

"Que merda você tinha na cabeça? O moleque perdeu a porra da mão, cara. Já não sabe ler, e agora com certeza não pode escrever. Que porra de trabalho você acha que ele vai arrumar? Entendeu? Você fodeu a porra toda. Tive que dizer à mãe dele – caralho, eu disse a ela que ia te foder." E cada pergunta de Alan fica sem resposta por parte de Clare. Todos fingem não ouvir nada, e Clare aparece branco como cera para trabalhar no galpão. A maior parte do pessoal faz o possível para dar as costas a ele, e Denis murmura algo sob a respiração. Mas Greg dá um tapa em seu ombro e pergunta "Tudo bem?" Clare faz que sim e vai para seu posto de trabalho. Passo uma ovelha a ele e tudo segue normal, mas trabalhamos em silêncio.

Logo depois do meio-dia, Alan aparece e fica puto ao me ver colocar um velo sobre a mesa. "Mas por que caralhos você está fazendo essa merda?" Fico paralisada e sinto meus olhos se arregalarem. Mas o grito não é para mim. Ele se vira e aponta para Clare. "Você, seu merda imprestável, até segunda ordem é você que faz o trabalho pesado, não a Jake." Clare está de boca aberta. "Não vou ficar sem uma das melhores tosquiadoras só porque você não consegue limpar sua própria merda." Eu não sei para onde olhar nem o que fazer. Ninguém se mexe. "Jake, onde está seu kit?"

"No meu quarto."

"Então vá buscá-lo. Você tem o que fazer." Levo um segundo para responder. "Anda!", vocifera, e eu corro pelo terreno até meu quarto. É horrível. É humilhante para Clare, o coitado do Bean está com a vida arruinada, Alan está puto de todas as maneiras possíveis, mas ainda assim não consigo parar de sorrir.

7

Pela janela da cozinha, assisti ao sol se dissolver por trás do bosque. As formas brancas das ovelhas se esvanecendo na grama negra. Quando o ar se tornou denso e escuro, fechei a cortina sobre a pia e acendi todas as luzes.

Uma ovelha tossiu alto, no curral dos fundos, e Cão levantou as orelhas. Do fogão subia o vapor de um guisado. O rádio anunciava os resultados do futebol e cobri a mesa com jornal, para espalhar minhas ferramentas e poder afiá-las, poli-las e passar óleo nas tosquiadeiras. Fiz tudo sem pressa, coloquei a cafeteira no fogo e mexi o guisado. Afiei cada lâmina até que estivessem perfeitas. Terminei o café, peguei uísque, guardei as ferramentas e imaginei o que aconteceria se eu tentasse tosquiar o cachorro.

Cortei fatias grossas de pão branco e deixei a marca negra de um dedo na manteiga. Peguei uma tigela de guisado e servi outro uísque para acompanhar. Também coloquei um pouco dele no guisado. A tosse veio outra vez, e lembrei que havia mudado todas elas para o curral de cima, longe da mata. Bati a caneca contra o balcão e Cão rosnou baixo. Subi as escadas atrás da arma e tentei não pensar no que eu iria me meter. Na Inglaterra, não havia muitas coisas que você pudesse fazer com uma arma que não pudessem ser feitas com uma pedra, mas eu já não estava tão segura disso.

A noite já havia caído, mas uma lua cheia se erguia sobre o curral, deslizando pelos lombos das ovelhas no campo acima. Cão soltou outro rosnado baixo – e a tosse ecoou de dentro do galpão da lã, não do campo. Fiquei parada. As ovelhas estavam imóveis na ladeira. Um campo de fantasmas.

Cão farejava a entrada do galpão e latiu. Outra tosse, agora seguida por um gemido. O sangue correu por meus punhos. *É só uma raposa ferida*, pensei, *só o vento chacoalhando a grade, só meu ouvido zumbindo.*

A porta do galpão estava escancarada e, lá dentro, a escuridão inundava tudo como uma água negra. Cão desapareceu através da porta e eu, empunhando a arma, procurei o interruptor. A lâmpada piscou, instável, sua luz verde e depois amarela, e assisti aos pedaços enquanto Cão atacava algo grande, rosnando e avançando. Fiquei em choque por um momento, a boca aberta, então apontei a arma.

"Cristo!", gritou uma voz de homem. Cão mordera seu pulso e agora o chacoalhava com força.

"Quem é você, porra?", gritei, e mesmo sem querer a arma disparou. Cão foi ao chão, e por um segundo tenebroso eu pensei que o tivesse atingido, mas ele apenas se assustara. O homem cobriu o rosto com as mãos e não se moveu. Meus braços tremiam e baixei a arma. Ninguém morrera, e o homem não parecia estar baleado. Larguei a arma antes que ela caísse sozinha.

"O que você quer? Foi você quem matou minhas ovelhas? Quem te mandou aqui?", vociferei. O homem não respondeu, só continuou sentado, cobrindo o rosto.

Cão se arrastou para perto de mim, já sem vontade de brigar.

"O que você quer?", perguntei novamente, em voz alta. Pensei em pegar a arma de novo, mas meus braços não tinham forças, pendurados ao lado do corpo.

"Eu quero dormir", disse o homem. "Eu só quero dormir." Sua voz estava embargada, não passava de um ganido. Baixou as mãos. Era o homem da sebe. "Não precisa atirar em mim", ele disse e olhou em meus olhos. "Deus", falou, "você está horrível. Cortou seu próprio cabelo?"

Dei um passo adiante para olhá-lo sob a luz verde. Um saco de dormir úmido estava em volta de seus ombros.

"Por que você está aqui?", perguntei novamente, em uma voz menos ameaçadora. Dava para sentir o cheiro de álcool nele. Sua barba subia até o alto das bochechas. A mão exposta tinha vários furos, todos de Cão. Engoli em seco. "O que você quer de mim?"

"Eu só queria dormir no seu barracão..." O fim da frase veio em um acesso de tosse.

Limpei a garganta. "É você? Que está matando meu rebanho? Você esteve na casa? Andou entrando na minha casa durante a noite?"

Olhou para mim com os olhos vermelhos de tosse. Seu queixo tremia de frio. "Não estou entendendo", falou.

Havia uma mancha de sangue em seu lábio inferior, que ele devia ter mordido.

Ele me olhou com um dos olhos meio fechado. "Não matei ovelha nenhuma."

Ele estava com problemas para manter os olhos abertos. Meu coração disparou.

"Eu não atirei em você, atirei?"

Seus olhos se abriram de novo. "Do que diabos você está falando agora?", exasperou-se, como se eu o estivesse incomodando com algum tipo de conversa ridícula. Começara a chover e o telhado batucava. Eu não fazia ideia de como podia tirá-lo dali.

"Vou chamar a polícia se você não for embora." O homem não respondeu. Fiquei olhando para ele por algum tempo. Ele não se movia, apenas seu peito subia e descia, os pelos do bigode balançando com a respiração. Cutuquei sua perna com força, com a ponta de minha bota.

"Pode ficar aqui essa noite", falei. Ele arregalou os olhos novamente. "Mas você tem que ir embora pela manhã."

"Obrigado."

"Se você não for embora de manhã, vou lhe dar um tiro", mas seus olhos já estavam fechados e ele dormia.

Estava sentado no concreto duro, mal enrolado em seu saco de dormir todo úmido. Deixei-o lá, apagando a luz enquanto saía levando a arma.

Podia ter sido o ar, o vento. Podiam ter sido as ovelhas se virando para me olhar, ali na escuridão. Ou algo saído do mar que se arrastava pela trilha em minha direção. Mas não. Era apenas a noite, como eu já vira milhares de vezes antes, sozinha.

Em casa, olhei para o telefone, lembrei da cara do sargento e me afastei dali. Pensei em Don me dizendo para falar com aqueles fazendeiros jovens.

Olhei para a fatia de pão que cortara, na cozinha. Coloquei o café de volta no fogo e me sentei. Depois, fui até o armário e peguei um cobertor velho, que levei até o galpão. Eu podia ouvir sua respiração pesada através da porta, e não precisei acender a luz para saber onde ele estava, nem que ainda dormia. Pigarreei algumas vezes, mas como ele não acordasse eu estendi o cobertor sobre seu corpo e voltei para casa, tentando continuar calma. Tranquei a porta e conferi as janelas.

Coloquei uísque em meu café e fui para a cama. Cão me acompanhou. Fiquei sentada por algum tempo, na beira da cama, e voltei a descer as escadas, com Cão ao meu lado. Apontei para a porta da frente. "Fique aqui", eu disse, e Cão ergueu as sobrancelhas, mas se deitou com o focinho entre as patas.

Levei a garrafa de uísque comigo para cima, e meia hora depois desci para encontrar Cão enrodilhado no sofá. Liguei para casa e ninguém atendeu, todos fora, vivendo suas vidas do jeito que eles viviam. Se o telefone estivesse no mesmo lugar do corredor, sobre o mesmo móvel de vime, estaria de frente para o jardim malcuidado, matagal e folhas mortas, cobras e ervas-daninhas. Aves carniceiras caçavam camundongos naquele lugar, enfiando-os em galhos de jacarandá, camundongos e ratos silvestres mortos. Desliguei. Recolhi em uma assadeira todas as facas que encontrei, e depois resolvi recolher também os garfos de trinchar, levando-os para a cama comigo. Apaguei a luz e puxei um banquinho para a janela, colocando a arma perto. Sentei e esperei meus olhos se acostumarem com a escuridão, então observei a porta do galpão com uma caneca de uísque nas mãos.

8

Quando chego em Kalgoorlie, alguma coisa não para de chacoalhar sob o capô do caminhão. Parece que o canguru ficou para trás há muito tempo, mas ele deve ter causado mais danos do que imaginei. Não há documentos no porta-luvas, só óleo de motor, um pacote aberto de amendoins e um pacote vazio de camisinhas. O melhor que posso fazer é vender o carro para um ferro-velho. Chegando nele, desligo o motor e conto os estalos pela última vez. Quando cessam, sei que vim parar em algum outro lugar.

Durante a viagem, o dinheiro que tirei de Otto ficou apertado, e houve momentos em que pensei, sentada à noite no caminhão, em voltar para o caminho antigo. Mas essa pessoa é como alguém que nunca conheci. Pensar nisso – na carne e no cheiro e no barulho da coisa, na dor e vazio que se seguem, o gosto que desce amargo e entala na garganta – fazia minhas mãos se fecharem até as unhas entrarem na pele. Eu tivera sonhos, dormindo na cabine do caminhão, em que cerrava os dentes com força até que eles quebrassem, até que se despedaçassem em minha boca, e quando acordava eu esperava vê-lo me observando pela janela. Algumas vezes eu acordava e podia ouvir alguém cantando *É você ou sou eu? Parece que andei perdido...,*[1] mas acabava sendo o pio de um bacurau ou um morcego frugívoro resmungando em sua árvore. Quando o sol se ergue, eu me olho no retrovisor, o olhar fixo até que eu me torne um borrão, como quando você diz seu nome muitas e muitas vezes e de repente ele já não faz nenhum sentido.

Consigo apenas 45 dólares pelo caminhão, mas há algo bom em pensar nele sendo despedaçado, peça por peça, a placa dependurada em uma parede, uma entre milhares, despercebida e ignorada, o último vínculo com ele desintegrado e insondável. Gasto o resto do dinheiro em um saco de dormir, uma muda de roupas e uma mochila onde guardar tudo.

"Diabo de mãos grandes", diz um homem chamado Alan, segurando minhas palmas abertas no bar do Fleeced Lamb, em Kalgoorlie. Há algo na maneira profissional com que ele segura minhas mãos que me faz relaxar, como se ele estivesse olhando para o casco de uma cabra. "Você vai ficar bem, querida. Você parece saber mesmo se cuidar, posso apostar nisso." Larga minhas mãos e vira sua bebida antes de me olhar fixamente outra vez. "Você parece ser do tipo que tem a alma velha, e é desse tipo que eu gosto."

Alan é o cara que procurei por ter anunciado uma vaga para servente. É o único anúncio de ovinocultura que não

---

[1]   Música tema do seriado neozelandês *Shortland Street.*
Os versos originais dizem "Is it you or is it me?
Lately I've been lost it seems..."

diz "Nível exigido: Experiente". Em vez disso, diz "Nível exigido: Intermediário", mas a entrevista de Alan é mais sobre "Você tem problema com sangue de ovelha?", e quando digo que não e ele dá uma olhada em meus braços, parece negócio fechado, e ele sequer olha para a página de currículo inventado que imprimi em uma lan house.

No primeiro dia de trabalho com a equipe de Alan, estou me sentindo mal, como se houvesse um teste que eu não sei como passar, mas ninguém parece surpreso em ver uma mulher no galpão da lã, onde o teto de zinco retém o calor e o joga sobre nossas cabeças. O lugar cheira a mijo e cabelo queimado, mas já senti cheiros piores.

"Sou Jake", digo para os rapazes. Aceno e todos olham para mim, todos os seis, iguais, os mesmos chapéus e jeans, a mesma pele queimada de sol e o cabelo um pouco arrepiado nas laterais. Alguém diz "'Dia, camarada", e dois outros acenam de volta. Um deles puxa o chapéu para trás da cabeça, olha para mim e sorri. Tem um rosto largo, olhos azuis profundos.

"Você é a cozinheira, colega?", pergunta um homem de bigode ruivo, e alguém responde por mim, contando para mim, "Que nada, Sid é o cozinheiro. Sid Hargreve". Respiro fundo, imaginando cozinhar carne queimada e ovos para todos esses homens.

"Ela é a servente, por enquanto", Alan fala por trás de mim, "e vamos ver como ela se sai daqui para a frente." Dá um tapinha em minhas costas. "Tem um bom par de ombros, aqui", e há uma concordância da maioria dos homens – eles têm visto coisas mais estranhas – e todos se voltam a seus instrumentos, examinando as lâminas e soprando a poeira e o pelo de ovelha do meio delas. Do lado do galpão eu posso ouvir um esmeril elétrico funcionando. Um dos homens permanece parado, segurando sua tosquiadeira e apenas olhando, com nenhuma expressão que eu identifique. Suor brota sobre meus lábios. Eu gostaria de um cigarro, mas não na frente de todo mundo.

Alan me mostra onde vou dormir.

"De vez em quando aparece uma mulher para trabalhar com a gente – nenhuma que fique muito tempo. Não é nenhum preconceito, mas alojamento é o lance complicado. Se me pegarem não oferecendo a você um dormitório separado, estou fodido." Ele me mostra o interior do barracão onde há dois carros estacionados e uma bicicleta velha. Há uma cama de armar montada em um canto, e o lugar é um espaço de trabalho – a bancada foi esvaziada de ferramentas e óleo, e fizeram uma limpeza por ali. Vejo um lavatório de plástico verde e um sabonete. "Além do mais, espera-se que eu providencie um lavabo separado para você. Tem uma torneira ali atrás."

Ele se vira e me olha de cima a baixo. "Como você lida com aranhas?"

Ben é o servente que vou substituir, e pelos primeiros dois dias ele me mostra as cordas. "É um trabalho duro", fala, olhando meus ombros, "mas acho que você vai se dar bem." Agarra uma ovelha pelas patas dianteiras, dobra-as e vai arrastando o bicho até um dos homens que está terminando um serviço. Quando pega o velo pronto, um enxame de varejeiras avança sobre ele, mais rastejando que voando. Ben me mostra como colocar o animal na mesa. Quando tento, percebo ser mais fácil do que parecia.

"O que você vai fazer agora?", pergunto.

"Estou indo para a faculdade fazer agricultura, tem um curso em Hedland, e consegui uma vaga lá." Cerro os dentes ao ouvir sobre Hedland. Um dos homens escutava nossa conversa.

"O puto fica inventando moda – acha que vamos trabalhar para ele daqui a uns anos."

Todo mundo ri, como se essa fosse uma das ilusões mais trágicas que alguém poderia ter.

Ben vira os olhos e mostra o dedo para o homem, que sorri e volta para sua ovelha. "Parte do trabalho", fala, levantando outra ovelha pelas patas, "é tirar a merda desse lugar."

Sou boa no trabalho, posso sentir, talvez até melhor que o próprio Ben, mas não quero que ele desgoste de mim, então me seguro, deixo que me dê uma bronca ou outra, para que fique entendido que eu sou a novata, a maldita iniciante sem noção. As ovelhas são maiores que as de Otto e dão mais trabalho, mas acabamos nos entendendo bem. É bom sentir a banha em seus ossos, a gordura da lã em minhas mãos, como se elas a tivessem de sobra. Aprendo o nome dos homens conforme trabalhamos, ouvindo as conversas e as coisas que gritam uns aos outros por sobre o zunido da tosquia. Tem aquele alto com o crânio pesadão, que parece quieto até que um dos outros conta uma piada. Não entendi a primeira parte porque estava observando como o homem que contou a piada cortava a lã com rapidez, bem perto da raiz. Leva uma eternidade para contar a piada, porque precisa respirar fundo com aquela ovelha em torno dele, e quando o velo cai no chão, e eu passo a ele outro animal, ele raspa sua barriga e para de contar a piada, e eu prendo minha respiração junto enquanto ele apalpa a virilha do bicho, deixando a pele esticada. Quando a piada continua, tem algo a ver com macacos, canhões e pintos. Quando termina com a ovelha, ele se apruma e conta o desfecho da história: "E ela fala 'Foi exatamente o que meu marido disse, reverendo'".

O cara alto está no meio de uma longa tosquia e se abraça à ovelha enquanto ri, segurando a tosquiadeira longe do animal. "Porra, Clare, você é um boçal", diz, e dá um tapinha na cabeça da ovelha como se ela também estivesse na piada, antes de continuar o corte. De vez em quando dá uma risadinha, balançando um pouco a cabeça. Seu nome é Greg.

Sid, o cozinheiro, serve um cozido com pães que ele assou. O miolo do pão parece cimento úmido e gruda no fundo do meu estômago. O cozido é de carne de carneiro. Não suporto o gosto, que cobre minha língua e tem cheiro de morte.

"Não quer engordar?", pergunta o tal de Clare, olhando para meu prato, então eu rio e como uma garfada só para mostrar que isso não me incomoda. Meu estômago se contrai e o suor brota em minha nuca. Dou um sorriso largo.

Ninguém reclama ou elogia Sid, que nem parece esperar por isso. Comemos o mesmo no jantar, mas com pudim enlatado, e Alan monta um bar. Você escreve em um caderno a bebida que quer e ela vem descontada em seu pagamento. Pego um pacote com seis cervejas e ofereço uma a Ben, como uma coisa amigável. Ele agradece, dizendo que gasta maior parte do pagamento com bebidas que está devendo ao pessoal.

"Esses putos, hoje me pegaram", diz, mas com um sorriso no rosto, e alguém passa perto e dá um beliscão em seu mamilo.

Não há porta no barracão, então posso ver o céu noturno de onde estou deitada. Levanto-me e procuro nas gavetas até encontrar um martelo, então o coloco sob a cama, por precaução. O céu é vasto e repleto de estrelas. O lugar cheira a diesel, o que não é ruim, e assim que encontro as aranhas no teto, como se elas próprias fossem estrelas cinzentas e gordas, fico feliz por permanecerem paradas. Pego no sono e não sonho com nada, nada me encontra na escuridão.

De manhã, lavo-me na bacia sobre a bancada, usando uma regata velha como esponja. Há uma algazarra de kookaburras e *miner birds*[2] lá fora, e me admiro de nunca ter escutado nenhum deles na casa de Otto, apenas o zumbido matinal das varejeiras.

Assim que as ovelhas são reunidas e colocadas seguras nos cercados, meu trabalho é manter os currais cheios e levar os animais aos tosquiadores, de modo que eles tenham só o tempo de tomar fôlego antes de começar o próximo corte. Então eu coloco os velos sobre a mesa onde o camarada chamado Denis trata de tirar todos os bichinhos e carunchos, que caem por entre as ripas da mesa, porque ninguém vai querer essas merdas nos casacos ou mesmo nos carpetes. Vejo dois homens descansarem um pouco, esperando que eu vá devagar. Há aquele calor sólido que ricocheteia sobre nós do telhado de zinco, e as moscas aqui são gordas e úmidas – quando pousam perto da boca você tem a sensação de ter sido beijado por um morto.

Clare chama, "Espero que você conheça a tradição, garota – se há velos na mesa e nenhuma ovelha comigo, você me deve uma cerveja". Eu o ignoro, porque já sei que ele é o cara a se ignorar.

Todos vão para seus postos, eu levo uma ovelha a cada homem e espero para ver quão rápidos eles são. Há dois, Connor e Stuart, que trabalham lado a lado e são os mais velozes, porque fazem disso uma competição. Logo no começo, fazem uma contagem regressiva, "Três, dois, um, vai!",

2   Duas espécies de pássaros típicos da Austrália.

e saem tosquiando o mais rápido que podem. A ovelha de Connor tem alguns machucados, e eles se atiram de volta ao trabalho parecendo um pouco abatidos. As ovelhas de Greg são lisas, limpas e não têm machucados, como se fossem lubrificadas, e as de Clare são do mesmo jeito. Eles também são rápidos, mas só Clare é competitivo. Greg não se deixa arrastar para uma corrida, fica apenas sorrindo, mas Clare corre contra ele mesmo assim.

Perto do fim do dia, Greg pergunta se eu já tosquiei alguma ovelha antes. Ele sorri de um jeito que começa a fazer minha língua girar dentro da boca. "Imagino que você seria boa nisso."

"Às vezes", respondo.

"Tenta com essa aqui, se você não for cortar ela ao meio", diz, e pega a ovelha pelas patas da frente, segurando-a e indicando para que eu pegue a correia de trás. "Pendura isso, vai ajudar com o peso." Eu olho para a correia.

"Estou bem, sem isso." Tenho medo de que aquilo possa mudar o peso e a minha noção da ovelha, deixando menos natural. Ainda sinto minhas costas firmes e fortes.

Greg ergue as sobrancelhas. "Como a madame preferir." Mas ele claramente não pensa que posso lidar com aquilo. "Posso segurá-la para você, se quiser", ele diz, e deixo que me envolva com os braços. O contato faz minha boca secar, mas me concentro em esconder isso, sentindo algo diferente. Ele cheira a serragem.

Suas tosquiadeiras são mais afiadas e de qualidade do que as de Otto, e levo um momento para me acostumar. Tiro primeiro a lã da barriga, e essas lâminas são tão simples, nem se engancham. É tão fácil que eu posso sentir a ovelha relaxando nos braços de Greg, e quando começo seu pescoço eu tiro tudo, e tosquio bem, e muito rápido e com o mínimo de passada das lâminas. Quando o velo está no chão, intacto e cheio, e a ovelha cambaleia para longe sem nenhum traço vermelho, limpo o suor de sobre meu lábio e Greg dá um passo para trás, com as mãos na cintura. "Ora, mas que porra, onde foi que você aprendeu isso?", e, por trás dele, Stuart e Connor, que tinham se aproximado para observar, começam a rir. Clare caminha para fora do galpão.

Está quente demais, mas gosto do jeito como o calor faz meu braço parecer estar coberto de óleo morno, o suor escorrendo aos cântaros e molhando as laterais de minha camiseta. A base das minhas costas dói, de tanto me curvar e levantar, mas é muito melhor que ficar deitada na minha cama, na casa de Otto, esperando o dia acabar. Eu me pego sorrindo enquanto jogo outro velo sobre a mesa, Denis acenando a cabeça, impressionado. Não puxo as ovelhas com tanta força como Ben fazia. Envolvo meu braço pelo corpo delas, para que as patas não se arrastem, e em troca elas não se debatem tanto, então as coisas seguem suavemente. Ninguém fala nada sobre isso, então imagino que não seja nada ruim. No fim do dia, meus braços estão inchados e eu estou fedendo, mas todo mundo está, e quando tomo um banho atrás de meu dormitório, onde há um chuveiro cercado de tapumes, a céu aberto, meu corpo parece novo. Consigo ver as camadas saindo aos poucos, a sujeira e a pele velha e nojenta. Estou vestindo uma regata quando ouço alguém tossir. Viro-me rápido, o coração disparando no peito, meus olhos buscando o martelo sob a cama. É Connor, parecendo sem jeito.

"Desculpa, colega", ele diz, "esqueci que você estava aqui – vim apenas buscar óleo para o esmeril." Sorrio sem graça enquanto ele procura o óleo, acena com a cabeça e vai embora. Tento não pensar no que ele estará imaginando caso tenha visto minhas costas. Está escuro no galpão, e ele provavelmente não pode ver nada. Respiro fundo e fecho os olhos por alguns instantes, antes de sair para encontrar os outros. Estão todos sentados a uma mesa grande sobre o gramado. Connor está lá, e parece normal. Tomo assento na ponta da mesa e tento relaxar. Greg senta ao meu lado e me estende uma cerveja. O pânico é substituído por uma sensação de acolhimento.

Um garoto magro que todos chamam de Bean, mais novo que eu e com uma voz ótima de imitar, junta-se a nós. Clare diz que ele soa como um burro tendo o pau arrancado, e quando Bean fica ruborizado, eu me junto a todos e sorrio. O garoto está lá para me substituir, diz Alan, e por um momento penso que vou ser demitida, mas ele diz para eu me juntar aos tosquiadores.

Clare é um babaca com Bean, que se esforça para tirar uma ovelha do curral. O garoto grita e fica vermelho quando algum dos animais o morde. *Que puta coitado*, penso, e mostro a ele como pegá-las sem que elas se apavorem. *Por que você ainda tinha de ter esse nome de merda?*, continuo pensando. *Devia ter se contentado com o resto todo.*

Adoro trabalhar o dia inteiro na produção. Percebo Clare me olhando e competindo comigo. Tento não me incomodar com isso, mas ele corta feio uma ovelha e grita "Porra!", e inferniza Bean como se fosse culpa dele. "Vai buscar o alcatrão, imprestável do caralho!"

"Relaxa, cara", fala Greg, e Clare dá de ombros, ignorando. Cruzo o olhar com Bean e sorrio, mas ele vira as costas. Ele provavelmente acabou de sair da casa da mãe, não vai querer se envolver com a única mulher aqui.

Não estamos muito longe de uma cidadezinha com um pub, banco e supermercado, e quando tenho um tempo vou até o banco para tentar resolver as coisas de meu pagamento. Já faz bastante tempo que tive de usar um banco. A caixa enruga a testa quando vê meu saldo, mas a ignoro, sem dar qualquer explicação. Ela vira a tela para que eu possa vê-la. Três meses atrás, minha mãe depositou 50 mil dólares em minha conta. Encaro a tela e, muda, entrego os dados para meu pagamento.

Preciso de três tentativas para conseguir ligar para casa. Na primeira, disco o número e desligo imediatamente. Então, deixo tocar uma vez. Na vez seguinte, Iris é rápida e atende no primeiro toque.

"Oh", diz, "é você."

Luto para fazer minha voz sair. "Oi, Iris. Como vai?"

Ouço-a bufar. "Tanto faz. Recebeu o dinheiro? Não acho que mamãe devia tê-lo dado a você, mas não sabíamos outra forma para você entrar em contato."

"De que é esse dinheiro?"

"Papai morreu. Um acidente na marina."

Da última vez que vi papai, seu rosto estava cheio de raiva. E, pouco antes, quando só nós dois fomos surfar, eu tinha dez anos. Ele tinha sal nas rugas dos olhos. Minha boca quase não abria.

"Quando?"

"Faz nove meses. Mais ou menos."

Estou envolta em silêncio. "Não consigo acreditar", é tudo que posso dizer.

Ouço-a bufar novamente. "É, que seja. Eu não consigo acreditar em um monte de coisas que têm acontecido."

O silêncio é quebrado pelos bipes do telefone, e coloco mais dois dólares. As notícias ainda não atingiram meu corpo, ou meu cérebro.

"Como está a mamãe?"

"Na merda."

"Ela está aí?"

"Não." Mas Iris mantém a voz baixa e calma.

"E os trigêmeos?"

"São uns babacas. Olha, eu tenho coisas para fazer."

"Você vai dizer a ela que eu liguei?"

"Claro", responde Iris, e eu sei, reconheço o tom que significa que ela não vai. "Tudo que ela precisa é de uma longa e boa conversa com você. Você sempre deu tanto apoio."

Ela desliga sem perguntar como entrar em contato comigo. Nem mesmo sei como papai morreu. *Um acidente na marina?* Ele ainda estava no pátio de armazéns? Estava bêbado?

Enquanto dirigia de volta à estação de trabalho, sentia papai como uma bola em meu peito. Repeti as palavras na cabeça, vezes sem conta, *papai está morto, papai está morto*, até que não significassem nada. Nada disso significa alguma coisa se eu ignorar. Meu pai estava vivo até eu ir ao banco e ver o dinheiro lá. Não vou contar a ninguém sobre o dinheiro, ou sobre meu pai estar morto. Não vou tocar no dinheiro a menos que eu precise.

9

Acordei curvada sobre o banco, com dor de cabeça. Cão estava na cama, sob as cobertas.

O galpão estava vazio. O cobertor, bem dobrado, estava pendurado na ponta do rastelo. Corvos davam rasantes sobre algo no curral, com gaivotas voando em círculos largos acima deles. Chuviscava um pouco, mas nuvens carregadas indicavam que algo de mais impressionante estava a caminho. Aqui e ali, pela colina, alguns troncos antigos permaneciam encravados na terra, as raízes profundas demais para serem arrancadas quando o terreno foi limpo, há muito, muito tempo. Alguns estavam partidos e ocos, seu interior devorado por vespas, crescendo fungos que Don chamava "orelha de judeu". Aqueles troncos parados ali, com guerras começando e terminando em torno deles, cavalos sendo substituídos por tratores, Don nascendo, provavelmente o pai de Don nascendo, com certeza seu pai morrendo. Sentia-me solitária ao pensar naquilo, na velha história inglesa contada em umidade e escuridão, nos dias curtos antes da eletricidade. Isso me dava vontade de voltar para o caminhão e girar a chave, só para lembrar em que século estava, para sentir o calor seco e moderno do motor. Meu pé rangeu dentro da bota, já ensopada. Acendi um cigarro para secar o ar em volta de mim. Ovelhas me seguiam de perto, com perguntas morosas sobre a hora do almoço. Do alto da colina, assisti a um falcão rondando a borda do bosque, como se não pudesse encontrar um meio de entrar lá, como se nenhuma árvore fosse adequada para pousar. Soltou um guincho e de repente tinha sumido. Uma revoada de passarinhos subiu da copa das árvores e logo voltou a elas. As árvores pareciam pulsar com o ritmo da respiração.

Do outro lado da colina, encontrei uma ovelha prenhe atolada na vala. Seu focinho estava preto de lama, como se ela tivesse tentado se soltar empurrando com a cabeça. Desci até ela, tentando não fazer movimentos bruscos, mas ela se desesperou do mesmo jeito, grasnando como um pato.

"Calma", falei, "vamos lá." Mas ela não deu atenção e as coisas não ficaram mais fáceis com Cão ali, correndo de um lado para o outro na borda da vala e latindo agudo.

Ela estava com as patas inteiras atoladas, e enquanto eu a agarrei pelo corpo e puxei com força, o movimento foi mínimo e ela logo afundou ainda mais. As patas já haviam cavado buracos mais profundos e ela estava presa neles. Prendi a respiração e olhei para Cão, que ainda latia.

"Dá pra calar a boca, seu merda?", gritei, e ele se deitou, ganindo. Andei em volta da ovelha e tentei puxar uma pata de cada vez, mas o resto do seu corpo afundava ainda mais. Podia sentir seu pânico, a dor que ela sentia. Depois de quinze minutos, suando, me preocupava o fato de que ela afundaria se eu saísse dali para buscar ajuda.

"Olá." Uma sombra cai sobre mim. Era ele. Aperto ainda mais a ovelha, como se eu pudesse arremessá-la contra ele. Cão se pôs de pé e balançou o rabo, e por um momento fiquei sem fala. O homem olhou para mim, enfiada no fosso. "Pensei se você não poderia me ajudar." Sóbrio, ele tinha a voz de um locutor. Tirou um celular do bolso. "Aqui não tem sinal – eu estava usando o mapa, mas sumiu." Segurou o aparelho e olhou para ele como se lesse algo. "Estou um pouco atolada." Ele tinha olheiras escuras. Olhou para mim. "Era você no galpão ontem à noite, não era?" A ovelha deu um balido. "Reconheço seu... cabelo." Ele limpou a garganta. O peso da ovelha prendia o sangue em minhas panturrilhas, mas eu podia sentir o pulso em minhas pernas, rápido e pesado.

Engoli em seco. "Eu realmente poderia resolver isso aqui com sua ajuda."

De repente, parecia que ele ia fugir a qualquer momento. "Com a ovelha?"

"Era o que eu estava esperando." Tentei manter a voz tranquila, mas não consegui.

Seus braços estavam soltos ao lado do corpo. Fechou e abriu os punhos. "Ela não consegue sair sozinha?"

Senti o coração da ovelha palpitando enquanto ela se mexia e afundava ainda mais na lama. Tentei não gritar ou xingar.

"Preciso tirar essa ovelha daqui", falei em uma voz clara e cuidadosa.

"Você vai precisar tirá-la daí", disse Don. Virei-me para vê-lo debruçado sobre a cerca no alto da colina, com uma vista perfeita. Apontou um dedo para a ovelha. Levantei o dedão para ele, por um tempo longo demais, e ele me devolveu o sinal com as duas mãos, sorrindo largamente.

"Não pode pedir ajuda para ele? É que eu não entendo muito de ovelhas. Ele parece saber muito mais disso do que eu."

"Por favor", roguei. Dentes. "Se você não me ajudar, minha ovelha vai afundar na lama."

Uma expressão de impotência atravessou seu rosto, mas ele tirou seu paletó e o colocou no chão, descendo até a vala. Cão se pôs de pé e levou o corpo enlameado até o paletó.

"Certo", disse, caindo de joelhos sobre a lama, ruidosamente. A ovelha soltou um gemido horrível e estremeceu, lutando para se afastar do homem. Ele se ergueu, chapinhando.

"Certo", disse outra vez, estendendo a mão para me cumprimentar por sobre a ovelha. Olhei para ela, uma mão masculina e grande, com os furos da mordida de Cão. Dei graças a Deus por estar com as mãos ocupadas sob a ovelha. Ele recolheu o braço. "Me chamo Lloyd."

"Jake." Acenei com a cabeça e ele bate uma palma na outra, alto, fazendo a ovelha se jogar para a frente, e então esfregou as mãos.

"Onde quer que eu fique?"

A ovelha espumava pela boca.

"Você está assustando o bicho."

"Certo", sussurrou.

"Se você agarrar por trás, eu puxo pela frente."

"Por trás", repetiu para si mesmo. "Legal."

Agarrei-a pelas axilas e a senti ceder, enquanto aguardava que ele se preparasse, com muito esforço e irritação, do outro lado. Por várias vezes ele se preparava para colocar os braços em volta dela e, no último segundo, se afastava um pouco para alongar os braços. Finalmente, esticando a cabeça para longe do animal, ele o segurou.

"Estão indo bem", Don gritou do alto da colina.

"Certo", respondeu Lloyd. "Certo."

"Quando eu contar até três, puxa para cima e segura firme."

"Certo."

"Um, dois, três", e os dois puxamos. As patas da ovelha fizeram um ruído ao sair da lama, e ela se soltou como uma rolha da garrafa. Começou a chutar, tentando se arrastar dali, e antes que eu pudesse gritar para que ele segurasse firme, o homem deu um berro e caiu de costas. A ovelha chutava e chutava, amedrontada pelo barulho. Ela escapou dos meus braços e caí de cara na lama. Cão corria de um lado a outro do barranco, latindo e saltitando. A ovelha conseguiu dar três pulos antes de se atolar outra vez. Eu me arrastei para fora da lama e fui até onde o homem estava sentado, com a mão no peito, pálido e atônito.

"O que aconteceu? Você está bem?", perguntei. Ele me olhou com descrença e pensei *Pai do céu, ele está tendo um ataque cardíaco?* Expirou devagar e longamente, e então voltou a tossir.

"Eu só não esperava que ela se mexesse tanto." Seus olhos estavam rasos d'água. "São tão maiores, de perto."

No alto da colina, eu podia ouvir a risada de Don. "Vocês vão ter que tentar de novo!", grasnou.

O homem me olhou de seu assento na lama. "Talvez eu tenha medo de ovelhas", ele disse.

10

Otto está assistindo novela com as mãos nodosas e bronzeadas descansando sobre a virilha. Ele já me dissera que o calor sobre aquelas partes ajudava com sua artrite. Nesse tempo que tenho estado aqui, ele se acostumou tanto com minha presença que nem se dá mais ao trabalho de vestir uma bermuda.

Finjo que vou à latrina, mas em vez disso, depois de me assegurar que Kelly não está me observando de sua cama na varanda, corro até o galpão do trator e dou uma olhada por baixo do capô do caminhão reserva de Otto, o caminhão que supostamente é meu, e sei que ele funciona porque já ouvi seu motor ligado. Está todo cheio de graxa, e tenho de ser cuidadosa para não me sujar com ela. Uso um trapo manchado de creosote para arrancar alguns fios de trás do motor. Não sei o que estou fazendo, e esses podem ser apenas os fios que ligam o limpador de para-brisas, então também pego a chave inglesa que está na beirada do capô e tiro três arruelas que parecem bem importantes, sentindo um arrepio a cada rangido que elas fazem. Como posso ouvir a televisão vomitando através da casa, é apenas com Kelly que preciso me preocupar. Penso em tirar as chaves do contato, também, mas imagino que Otto pode passar ali e perceber que sumiram. Pelo menos com o motor, ele não vai ser capaz de perceber de imediato. Não consigo encontrar nada afiado o suficiente para furar os pneus, então deixo isso para lá. Quando saio do galpão, afasto-me da casa e atiro as arruelas, uma a uma, o mais longe que consigo, no meio da grama alta do curral, onde elas vão se perder entre as foices enferrujadas, gaiolas quebradas e pneus de bicicleta. Posso sentir o cheiro da carcaça da ovelha que matamos semana passada, e mantenho os olhos acima da grama alta porque ontem notei a ovelha com a mancha preta no focinho indo cada vez mais fundo no curral, enquanto Kelly movia seu corpo em torno do lugar. Esfrego as mãos na terra para tirar qualquer sinal de óleo e conto os passos de volta para a casa. É minha contagem regressiva, já não há nada que eu possa fazer, minhas mãos decidiram por mim. Precisarei estar longe na próxima vez que Otto for consertar o caminhão. *Deus queira que não seja hoje.*

Passo por Kelly na varanda, em seu tapete esfarrapado, e ela ergue a cabeça para me farejar enquanto caminho. Não é uma farejada de *Olá,* mas uma de *O que você está fazendo?*

Quando entro, Otto desvia os olhos de *Shortland Street* e sorri para mim. Ele está sempre muito feliz nessa hora do dia, com a barriga cheia e uma cerveja na mão, o programa na TV que eu odeio ter de fingir que gosto. Uma mulher vestida de enfermeira pede um refrigerante com limão em um pub, e cerro os punhos. Vou embora pela manhã, quando seus ossos velhos estão mais lentos.

Não durmo durante a noite, e ouço Kelly roncando fora de minha janela. Ela chora enquanto dorme. Quando o céu começa a clarear, ouço-a levantar e mijar um pouco afastada de seu canto, então a escuto despencar de novo para o último descanso antes do dia começar. Se está acordada, ela assiste ao azul surgir no céu, e um único *bush curlew*,[1] vindo de algum lugar, corta os espaços abertos do curral. As moscas começam a encher o ar.

Na hora em que Otto destranca minha porta, já tenho os bolsos cheios de tudo que posso carregar sem parecer suspeita. Antes de deixar o quarto, olho todas as coisas que precisam ficar para trás e dou adeus a elas. Deslizo a faca debaixo da cama para trás do armário, onde nunca será encontrada. Mesmo depois de tudo, não quero que Otto saiba sobre minha vontade de rasgar sua garganta.

Cozinho carne e ovos para o café da manhã, e ele raspa o prato com uma fatia de pão branco e suspira satisfeito. Engulo um ovo enrolado em pão, tentando parecer normal, mas sinto ânsia de vômito e preciso correr para o banheiro. Otto esfrega minhas costas quando retorno.

"Lembra da semana passada? Talvez seja um mal-estar matutino", diz, esperançoso. "Quando minha mãe ficou grávida do meu irmãozinho, dávamos chá de ulmária a ela para evitar desidratação. Vou trazer um pouco, da próxima vez que for à cidade." Nada de: *quando nós formos à cidade*. Aquele tempo havia passado há muito. Imagino quanto tempo levaria para que ele me engravidasse. Toda vez que terminamos, eu me agacho no chuveiro e tento tirar tudo de mim.

"Certo", diz, dando um tapinha na pança. "Vamos ao trabalho do dia."

---

[1] Grande ave terrestre australiana, de hábitos principalmente noturnos.

Arrasta a cadeira e coloca a mão grande e enrugada sobre meu ombro, quando passa. *É a última vez*, penso, e sinto meu estômago revirar. Quando ele desce os degraus da varanda, indo em direção à latrina, e joga para Kelly o osso de seu café da manhã, sinto minha pele formigar. As chaves do carro estão penduradas sobre o fogão, brilhando. Pego a lata de dinheiro debaixo da pia, as chaves do gancho, e caminho o mais calmamente possível porta afora. Kelly está mastigando seu osso, de pé com as patas afastadas, e olha para mim com os olhos semicerrados, ponderando. Digo a mim mesma que estou indo buscar algo no caminhão, então se ela puder ler minha mente, não vai descobrir nada. Mas no segundo em que coloco a chave na porta, ela larga o osso e dispara, saltando no lugar com fúria, barulho barulho barulho.

A porta da casinha se abre e Otto está agachado com as calças arreadas, o rosto vermelho, as pernas amarelas dobradas. Estou dentro do carro e a porta está fechada, a chave na ignição. Kelly salta em minha janela. Tento me manter calma para não deixar o carro morrer, mas Otto deixara a marcha engatada e não percebi, então ele morre, e Otto está com as calças no lugar, e o pânico começa a tomar conta, eu já penso sobre a desculpa que posso dar, que estava treinando baliza, ou que pensei em dirigir até o rebanho, nada que vá funcionar, e Otto está correndo na minha direção, sacudindo o gibi enrolado que ele estivera lendo, como se fosse me bater no nariz com aquilo. Seu rosto é um buraco gigante de raiva, e o caminhão dá a partida outra vez, eu me afasto da cachorra e Otto me alcança no tempo certo para arremessar o corpo contra o capô do carro, e nos encaramos por um segundo e de algum modo sei que é isso, que se ele me pegar eu vou terminar com o corpo largado na grama alta do curral, com Kelly me revirando mais e mais, um dia após o outro, e moscas vão me infestar enquanto eu incho e o sol seca a pele dos meus ossos.

Dou ré e Otto cai espatifado no chão, ouço um ganido de Kelly e sigo de ré por um longo tempo, até que Otto está de pé outra vez, correndo para o galpão, e tenho que torcer para ter arrancado as coisas certas do caminhão.

Viro-me devagar, com cuidado, vendo Kelly pelo retrovisor, seu corpo largado no chão, e apesar de tudo eu sinto pena, ela é só uma cachorra. Vou embora sem parar no portão de madeira, arrombando-o, e ele é tão velho que voa como se fosse feito de papel. Viro à esquerda na estrada, sentido cidade, e continuo. Não olho no retrovisor. Passo pela cidade, para o caso de alguém reconhecer o carro, e só então dirijo mais rápido. No momento em que já usei um terço do tanque, ainda não tinha passado por mais de dois carros. Posso seguir direto, pelo tempo que o caminhão aguentar.

O ar é diferente aqui fora, não há mais o cheiro de carne azeda, e deixo as janelas abertas mesmo que o vento golpeie meus ouvidos. O cheiro não é de cantos velhos e sujos, ou gordura e ovos fritos, mas de folhas quentes, terra e betume. Faço tantas mudanças bruscas de trajeto quanto posso, e corto meu caminho através de três ou quatro cidadezinhas para que ele se perca quando vier atrás de mim. Imagino de que maneira ele virá me procurar, porque estou certa de que virá. Existe a possibilidade de que ele chame a polícia, acho, mas a ideia de uma cela não é tão ruim assim. Eles não me conhecem, nestes lados.

Quando parece que o sol já torrou minhas pálpebras e começou a se pôr na linha do oeste, entro em um motel. Estaciono de qualquer jeito, atravessada em várias vagas, mas não há mais ninguém ali então tanto faz. O motor do caminhão estala como um cachorro ofegante.

Pergunto à mulher no balcão se há algum lugar em que posso estacionar sem ser vista da estrada.

"Você está com algum tipo de problema, senhorita?", ela pergunta com uma voz simpática. Seus cabelos estão arrepiados para fora do lenço vermelho que usa na cabeça.

"Acabei de deixar meu namorado, não quero que ele me encontre."

"Ele a tratou mal, não foi?" Faço que sim, e a expressão da senhora fica mais suave. "Bom", ela diz, "faça o pagamento adiantado e eu lhe mostro os fundos onde Eddie guarda o barco."

Tiro três notas do rolo de dinheiro de Otto e ela parece satisfeita. Depois que estaciono, ela me entrega uma chave e também uma barra de chocolate. "Afogue as mágoas com isso, senhorita. Se tiver problemas, disque nove, e eu mando o Eddie com um porrete."

O barco de Eddie é uma lancha com um casco vermelho brilhante. Estou tão longe da água e penso em seu cheiro, nos ventos e na água batendo e chapinhando contra a fibra de vidro. Vou dirigir para o litoral amanhã. Não vou parar até que chegue lá e possa boiar com a cara nas ondas.

"Isso nunca viu o mar", a mulher fala, e ajeita o cabelo sob o lenço enquanto caminha de volta para a recepção.

Compro, no posto de gasolina, três maços de cigarro – eles têm o tipo que Karen e eu costumávamos fumar, Holiday, como se isso oferecesse algum conforto – uma caixa de fósforos e um cartão-postal com a foto de um golfinho, e fumo um maço inteiro em meu quarto para não fumantes. Sinto-me mal depois que a senhora me deu o chocolate e deixou que eu estacionasse perto do barco de Eddie, mas ainda não estou pronta para o mundo lá fora. Apoio o postal sobre o travesseiro, para ter algo a que olhar. Faz calor como no inferno, e provavelmente a fumaça do cigarro não é o odor mais refrescante, mas me faz sentir bem e eu afasto a lembrança do pequeno pênis vermelho de Otto.

Depois dos cigarros, tomo um banho quente e vou para a cama ainda molhada, para que o ventilador de teto me refresque enquanto durmo. Sonho com a ovelha sozinha lá fora, com Otto e Kelly, e desperto no meio da noite com o coração disparado, imaginando o que vai acontecer com eles. Adormeço outra vez, mas acordo perto do amanhecer para vomitar várias vezes na privada, como se minhas tripas estivessem para fora, me livrando da carne e dos pelos de cachorro, da língua de Otto e do bafo de peixe de Kelly. Bebo água da torneira do jeito que fazia mamãe gritar conosco, no caso da aranha estar com seu ninho lá. Tomo longos e demorados goles. Assisto ao dia chegar enquanto fumo um Holiday e os pássaros cantam, e tudo tem cheiro de novo em folha.

Em um posto de gasolina, alguém esqueceu um jornal chamado *Shearing World*. Pego uma xícara de café preto e um suco e folheio o jornal. Há uma coluna de classificados de emprego na parte de trás, onde pessoas também se oferecem para trabalhar. Quase todos exigem alguém "Experiente". Eu consigo segurar uma maldita ovelha, e posso tosar sua lã fora. Sim, penso, abastecida pelo café e alcançando meus Holidays. Escolho um lugar que pareça cheio e muito distante, em Kalgoorlie, e compro um mapa no posto para poder encontrá-lo. Fica a quase dois mil quilômetros se eu dirigir para o litoral. Também compro três litros de suco tropical e dois litros de água. Meu dinheiro deve durar, posso seguir sem pressa para Kalgoorlie, caso queira. Otto era surpreendentemente econômico, havia mais dinheiro na lata do que eu imaginava. Pondero se deveria ter pego apenas metade. Isso me faz pensar outra vez em como ele vai me matar, caso me encontre.

No caminho, paro de vez em quando para ver como a terra muda. Quanto mais ao sul, mais vermelhas são as coisas. Chego à costa de manhã bem cedo, depois de dirigir toda a noite, e molho os pés na água rasa de Monkey Mia. Parece bom e familiar. Há uma placa que diz NADE COM OS GOLFINHOS, e cerca de uma dúzia de turistas vestindo salva-vidas laranjas boia na água, no fim do píer. Fico atordoada por ver tanta gente de uma vez só. Uma barbatana minúscula corta a água no meio deles, e posso ouvi-los rindo e também uma menininha berrando, aterrorizada. E ela devia estar, aquele laranja é visível para todo mal que passe ali, não apenas golfinhos. Caminho para longe deles, pela praia, satisfeita na beira d'água, mas acabo por só entrar no mar até as panturrilhas, não fundo o suficiente para nadar. Bem naquele ponto, um bando de golfinhos, mais ou menos dezesseis, aproxima-se de mim, e posso ver suas costas lisas e curvadas e também seus respiradouros e barbatanas. Agito os braços, em parte para dar as boas-vindas, em parte para que eles não cheguem muito perto.

De volta à terra, em uma parada de caminhões vazia, há um goanna[2] sobre a mesa de piquenique, e eu me sento perto por algum tempo, em uma pedra, e o observo. Quando me levanto, o animal sai em disparada para o meio dos arbustos. Há um banheiro na área de piquenique, mas só de

---

2   Gênero de grandes lagartos encontrados na Ásia
     e na Oceania, que comporta diversas espécies.

chegar perto eu levanto uma revoada de varejeiras e o cheiro é bastante familiar. Vou até a moita e peço desculpas ao goanna, em voz alta.

Estaciono no acostamento da estrada, porque estou cansada demais para continuar por mais uma hora e meia até o próximo posto marcado no mapa. Mas essa é uma noite de apreensão, e mesmo que Otto não saiba para que lado estou indo, ligo de novo o motor e estaciono no meio do campo, atrás de uma moita florida, procurando um pouco de proteção. As portas estão trancadas e eu durmo profundamente, curvada no molde dos assentos do caminhão, com o freio de mão cutucando minhas costelas. Acordo antes de amanhecer e vejo um pequeno dingo[3] não muito distante do caminhão, com as garras em torno da pata traseira de algo que morreu há bastante tempo, mastigando alegremente. Meu estômago se mexe dentro de mim, e dói. Provavelmente está na hora de comer alguma coisa. Tomo o resto do suco tropical de um gole, e decido nunca mais beber aquilo. Três litros são demais.

Quando chego no posto, tudo tem cheiro de carne cozida, e levo muito tempo para escolher o que comer, a mulher atrás do caixa cada vez mais impaciente.

"Alguma coisa que você não consegue encontrar, boneca?" Dou um salto.

"Só não consigo decidir." E fico envergonhada, porque parece que estou escolhendo um anel de casamento. Encontro um sanduíche enfiado no canto da geladeira e pego um saco de palitinhos de queijo e uma Coca.

"Depois de tudo isso", diz a mulher, mas agora que estou mais perto percebo que ela não está tentando ser uma vaca,

3   Cão selvagem australiano.

então sorrio. "Seria melhor você levar um desses por conta da casa", fala como se estivesse me servindo uma dose de uísque. Ela colocou um chocolate Freddie the Frog junto à minha refeição infantil. Quando sento, vejo de relance meu rosto no vidro da janela e consigo perceber como estou magra, e mesmo no reflexo sou capaz de ver as sombras escuras em minhas bochechas. Guardo o Freddie the Frog até que ele derreta no porta-luvas. Ele representa alguma coisa que não estou muito certa de entender.

Quando vejo cangurus, estou tão surpresa que não desacelero ou desvio, nem faço nada além de ficar olhando enquanto eles se batem contra o capô do carro, e acerto as patas traseiras de um deles, que sai voando no ar como se a batida o tivesse transformado em outro tipo de criatura. Quando ele desce e volta ao chão, não fica lá estatelado e morto, mas se ergue antes mesmo que eu pare o caminhão e some no meio do mato mais rápido até do que se movia antes. Fico sentada assistindo, as mãos quentes apertando o volante, meu coração subindo pela garganta. Não posso acreditar que o bicho simplesmente levantou e foi embora, eu estava a mais de noventa por hora. Rio alto, pensando em como a vida é maravilhosa por tomar uma porrada daquelas e ainda assim continuar bem, e quando me encontro calma, saio do carro para conferir os danos. O para--choque está amassado, mas não há nada que eu possa fazer quanto a isso, e a pintura foi toda embora. Olho para o canguru enquanto ele se afasta, poderoso, mas de repente ele para em meio a um salto, as pernas perdendo o passo, tendo espasmos como se encontrasse uma cerca elétrica. Cai no chão, convulsionando, as pernas indo uma para cada lado, os braços curtos esticados para o céu, as garras abertas como estrelas, e a poeira subindo a sua volta. Os outros eram apenas borrões na distância agora, e ele enlouquece, posso ouvir seu corpo golpeando a terra a cada vez que cai no chão. Não deixo meus pensamentos atrapalharem enquanto pego o pé de cabra da caixa de ferramentas no caminhão e cruzo a estrada.

Tudo que me deixo pensar enquanto caminho pelo mato é que sou capaz, que tenho braços fortes e também o pé de cabra. O animal está caído, há sangue saindo de algum lugar e espalhado pela clareira que ele fez entre os arbustos. Seus olhos estão virados e, enquanto se debate, sinto o ar se movendo em meu rosto. Gostaria que meu pé de cabra fosse um rifle. Observo sua cabeça, espero para que se vire em meio às convulsões, que agora são lentas, e quando está virada para mim eu ergo o pé de cabra alto no ar, imaginando a ovelha com as manchas negras no focinho e pensando *Você é capaz*, e desço o braço com toda a força que tenho, e algo racha em sua cabeça – eu a atravessei, o que é bom para nós dois, em termos gerais. Sua agitação diminui, mas ainda há movimento, e rapidamente desço o braço de novo e de novo, até muito depois de o animal ter parado de se contorcer e não ter sobrado muita coisa de sua cabeça.

Dou um passo para trás. Às minhas costas, ouço algo se aproximando pela estrada, e quando olho vejo que é um rodotrem. Ele buzina alto ao ver meu caminhão, que não está no acostamento e continua no meio da pista, mas não desacelera. Em vez disso, vai para a outra faixa e ultrapassa, não sem antes me arrancar um retrovisor. Mesmo daqui posso ouvir uma risada vinda da cabine, enquanto meu espelho voa e se arrebenta no asfalto.

11

Em casa, enquanto Lloyd está sentado no sofá, enchi uma caneca de água. Depois de beber, ele afundou a cabeça entre as mãos. Lavei a lama do rosto e me sequei com um pano de prato. O lado de fora se agitava contra as janelas. Acendi a luz da cozinha, e ela vacilou entre acesa e apagada, até se acender de vez.

Fiquei me perguntando quão velho ele seria – mais jovem que meu pai, da última vez que eu o vira, mas mais velho que os lavradores que vinham oferecer seus serviços. Tirei canecas do armário e as coloquei de volta. Encontrei uma caixa de paracetamol e a coloquei no balcão, pensando se devia oferecer a ele ou se isso o encorajaria a ficar. Olhei-o com o canto dos olhos, procurando algo estranho ou um movimento brusco. Tracei um itinerário da cozinha. Martelo embaixo da pia, metade de um tijolo no peitoril da janela.

"Eu disse a você, no galpão, que alguém está matando minhas ovelhas", falei, de costas para ele.

"Oh, querida. Sinto muito, a noite passada é uma colcha de retalhos." Virei-me para olhar para ele, que sorriu. "Ahn, e você acha que estão fazendo isso de propósito?" Mantive o olhar cruzado.

"Sim."

Ele não se virou, mas depois de um tempo, que eu já considerava embaraçoso, ele sorriu e limpou a garganta. Dei a ele o paracetamol, mais para quebrar o gelo do que por qualquer outro motivo.

"Isso é muito gentil", disse. "Obrigado." Destacou quatro pílulas e as mastigou, com um longo gole de água depois.

"Quantas ovelhas você tem?", perguntou, e pareceu satisfeito por ter pensado nisso.

"Cinquenta. Mas perdi duas esse mês, então tenho menos."

"O que está atrás delas? Uma raposa?"

"Talvez. Talvez sejam crianças. Pode ser qualquer outra pessoa." Ele parecia à vontade, como se tivesse sempre estado ali, como se fôssemos velhos amigos, como se ele soubesse o que aconteceria em seguida e nada estivesse fora do normal.

"Crianças? Jesus." Sorriu. "Quando eu era criança, o pior que a gente fazia era roubar cigarros e doces."

"Pois é."

"Você acha mesmo que crianças fariam uma coisa dessas?"

Peguei minha caneca de água e tomei um pouco, sem responder. Lloyd parou de falar. O vento chiava pela chaminé do fogão, soprando fuligem por ela.

"Vou lhe dar uma carona até a cidade", falei, e Lloyd olhou para mim. Virou os olhos para a janela.

"Ah, certo. Claro – isso é bondade sua." Não deu sinais de levantar, então tirei as chaves do bolso e as chacoalhei para fazer o som de ir-se embora. Até Cão continuava sentado. Um relâmpago seguido de um trovão encheu o céu.

"Se a gente for agora, eu vou poder..." Vacilei, sem conseguir pensar rápido o suficiente em uma desculpa, mas ainda segurando as chaves.

"Oh, claro, agora?" Olhou para fora da janela outra vez. "Acha que é seguro? Dirigir assim?"

"É só chuva."

"Claro, claro." Ele se pôs de pé, gemendo baixo. Deu uns tapinhas na cabeça de Cão. "Sem ressentimentos, ahn?", disse, e Cão estreitou os olhos de um jeito bem amigável. Ponderei por um momento o que ele planejava fazer que criaria ressentimentos em Cão.

"Ele vem conosco", falei.

"Certo."

A chuva explodia contra a janela. Tive dificuldades para abrir a porta da frente, o vento agora transformado em ventania.

"Uau!", disse Lloyd, e nós três corremos para o caminhão.

Na porta do motorista estava o pequeno nível de metal que eu encontrara no barracão – bordas afiadas, pesado, e eu sabia que se ajustaria perfeitamente à palma da minha mão. Quando Lloyd fechou a porta do passageiro, o caminhão pareceu pequeno, como se ele tivesse usado todo o ar. O lado esquerdo do meu corpo queimava pela proximidade a ele. Dirigiria com um olho nele, e se tentasse qualquer coisa eu frearia bruscamente – o cinto de segurança do passageiro não tinha mais tensão, então ficava pendurado, frouxo. Ele seria catapultado sobre o painel. E eu ainda teria o nível de metal. Olhei para Cão no banco de trás – só precisava torcer para ele estar atento.

Com os limpadores no máximo, era possível ver apenas trechos da pista, por entre chuva, galhos e folhas secas.

Quando alcançamos o topo da colina, o caminhão balançou e o vento nos atingiu pela lateral.

"Oooh", disse Lloyd e esticou o braço, e eu dei um pulo e olhei para ele. Ele também se assustou, mas estava apenas se segurando contra o teto. Estirou-se para olhar pela janela.

"O que você viu?"

"Nada."

Um galho estava caído no caminho que nos levaria até o bosque e depois até a estrada. Lloyd inspirou pela boca, os dentes cerrados. Eu não ia desacelerar. Daria a volta naquilo, porque era justamente para esse tipo de coisa que um quatro por quatro era feito.

"Caramba", falou Lloyd, agarrando a outra mão na alça da porta. Freei e coloquei a marcha com tração nas quatro rodas e o motor rugiu alto e eu nos levei para fora do caminho, pelo meio do mato, com o caminhão chacoalhando de um lado para o outro e Lloyd repetindo sem parar "caramba" e "uau", toda vez que o carro sacudia. "Certo!", ele disse em voz alta, quando avançamos pelo barranco que nos colocaria de volta na estrada, e foi aí que eu soube que não conseguiríamos, ouvindo os pneus girando em falso, sem tração, o caminhão afundando em sua própria vala, cavando sua própria cova, atolando e ficando preso. Acelerei de ré até que o mal cheiro subiu. As janelas se embaçaram. Esmurrei o volante e fechei os olhos, gritando "Merda, porra, caralho", e no silêncio que se seguiu, Lloyd falou:

"Opa. Atolados na lama. Aconteceu bastante disso hoje."

A água ainda caía, e por baixo da porta subia vapor enquanto Lloyd tomava banho no chuveiro do térreo. Examinei o quarto de hóspedes. Havia lençóis abandonados no armário quando me mudei para a casa, e fiz a cama de um jeito que não fosse convidativa, mas adequada. Boa o suficiente para uma noite, mas que não encorajasse uma demora maior. O cobertor estava completamente surrado. Ele ajudara com a ovelha, precisei me lembrar. Havia empurrado o caminhão quando pedi que o fizesse, tinha ficado com o rosto todo enlameado e sugerira encher os buracos sob os pneus com galhos, para dar tração, mas só tínhamos afundado mais. Aquilo era trabalho para Don e seu reboque, outro tique na lista de incompetências, mas quando chegamos de volta a casa, congelando e ensopados, Don não atendera o telefone.

Abri a janela, depois de pensar um pouco. O quarto cheirava a pó e umidade. Mariposas mortas caíram do peitoril, e as recolhi com a mão, subitamente envergonhada.

Lloyd saiu do banheiro com a toalha enrolada na altura do abdome. Tentei não olhar para suas partes nuas, mas eram a maioria. Havia muito pelo em seu peito, alguns grisalhos. Caminhou devagar em minha direção e senti o desespero de ver aquela toalha cair.

"Tem algum lugar onde eu possa lavar isso?", perguntou, segurando suas roupas cheias de lama. "Ou pelo menos deixá-las para secar?"

"Posso colocar na lavadora", respondi, mas minha voz saiu em um guincho que eu não esperava. Limpei a garganta e falei com uma voz mais grave que a minha verdadeira. "E depois elas podem secar no aquecedor."

"Se não for muito incômodo, muito obrigado. Já me sinto melhor." Ele sorriu. Franzi o rosto e me afastei.

Ele passeou pelo quarto, de toalha, olhando as fotos penduradas nas paredes. "São suas?", quis saber, apontando para uma com vários homens de uniforme.

"Estavam aqui quando cheguei."

Ele tinha o hábito irritante de flexionar as pernas, que apareciam pela brecha lateral da toalha.

"São do Don – comprei o lugar dele."

Lloyd acenou com a cabeça e fez um barulho como se mugisse. "Ele as deixou para você?"

"Acho que sim."

"Hmm."

Eu não tinha certeza do que ele queria dizer com aquilo, mas era algo incômodo. Ficaríamos ali sentados, esperando suas roupas ficarem limpas e secas? Tentei ligar para Don outra vez. Ninguém atendia. Já estava ficando tarde – se ele não atendesse logo, significaria que ele estava passando a noite na cidade. Tentei calcular o tempo que levaríamos à espera da tempestade passar, da noite terminar, de Don voltar para casa e atender o telefone.

"Gostaria de comer alguma coisa?"

Lloyd olhou para mim e Cão fez o mesmo. "Eu... eu não quero incomodar."

"Ora", falei.

Coloquei o mesmo guisado da noite anterior para esquentar. Lloyd deu um suspiro e sentou pesadamente no sofá. Observei-o com o canto dos olhos, sabendo que o suspiro de conforto era, na verdade, um fôlego de dor, porque ele se atirara exatamente no meio do sofá, onde a armação dura estava quebrada. Virei-me de costas, fingindo não ter percebido, mas ainda podia vê-lo no reflexo da janela. Ele esfregava as costas com a mão, no lugar em que havia batido. Cão saltou para o sofá também, e Lloyd acariciou suas orelhas. Forcei meus ombros a se descontraírem.

A perna de Lloyd apareceu por baixo da toalha novamente, flexionando-se. Apoiou a cabeça no braço, deixando a axila à mostra. Fui até o armário e encontrei um roupão que Don também deixara lá. Coloquei-o sobre o sofá.

"Pode vestir isso", falei, voltando para o fogão.

"Fascinante", respondeu, e quando me virei ele estava amarrando o roupão, os cabelos úmidos agora cobertos pela toalha, como um turbante. O roupão tinha sido da esposa de Don, imaginei. Havia uma fileira de margaridas em cada lado da lapela, e vários ratinhos desenhados. Lloyd sentou-se com um pouco mais de cuidado e disse para si mesmo: "Muito bom".

O tempo se arrastava.

"Quer beber algo?" Pestanejei ao me ouvir.

"Se não for um abuso", respondeu, "seria realmente adorável."

Servi um pouco de uísque e ele segurou o copo com as duas mãos, enquanto o levava à boca.

Sentei-me à mesa da cozinha e ele no sofá, e de vez em quando ouvia um suspiro seu como se tentasse iniciar uma conversa. Bebemos nossos uísques. O meu, bebi muito rápido porque a cada vez que o silêncio ficava desconfortável, tomava outro gole.

"Então", ele acabou por dizer, "imagino que você esteja se perguntando o que eu faço por aqui."

Não respondi, apenas o observei. Ele se estirou para a frente e colocou o copo no chão, perto dos pés. "Olha", começou, em um tom que era muito amável e reconfortante para o meu gosto, "só pensei que você poderia achar estranho que eu simplesmente aparecesse." Sua voz se ergueu no fim da frase, como se ele tivesse um sotaque que até então eu não notara. Sentei-me ereta.

"De onde você é?", perguntei, mais agressiva do que o necessário. Ele franziu a testa.

"Originalmente?"

"Você é da Austrália?"

"Barnsley. Minha mãe é de Stockton, meu pai de Leeds. Cresci em Barnsley. Vivo em Londres." E o sotaque havia sumido, apenas uma ilusão do meu ouvido. Recostei-me na cadeira. Ficamos em silêncio. "E você – obviamente – *é* da Austrália." E lá veio a pergunta: "O que a trouxe para a ilha?"

"Ovelhas."

"Mesmo?", disse em uma voz que supunha que eu fosse continuar a história. Em vez disso, levantei e me servi outra dose. Depois de pensar por um segundo, cheguei à conclusão de que seria mais estranho e esquisito se eu não o servisse também, então enchi seu copo. Ele me olhou e sorriu. A bebida deixa os homens sinistros, mas também os faz mais sentimentais. Misturei água à minha.

O guisado ficara muito tempo no fogo, e havia grudado na panela. Coloquei duas tigelas cheias dele sobre a mesa, com pão.

Lloyd tirou a toalha da cabeça e sacudiu os cabelos, que haviam secado em ondas, cinzentos em torno das orelhas.

Procurei por um momento a faca de pão, até lembrar que elas continuavam no andar de cima.

"Estou sem facas, no momento", justifiquei, "então vamos precisar cortar o pão com as mãos e passar a manteiga com as costas de uma colher." Lloyd acenou com a cabeça, como se isso não fosse nada demais.

12

Faz tanto calor que eu sinto como se fosse inchar e explodir, que nem um gambá morto, e depois de conferir o rebanho, me pego pedalando, com vento por meus cabelos. A sensação de que Otto não vai saber exatamente onde me encontrar continua presente, e me agarro a ela. Pedalo em uma miragem, posso sentir o sol pelando minhas costas e ombros, minhas pálpebras, mas vale a pena sentir que estou a caminho de alguma coisa. Imagino encontrar um lago que não tenha se esgotado na seca. Penso várias vezes, vou apenas pedalar até o fim dessa miragem, mas não há nada aqui. Não sei por quanto tempo estive fora, mas começo a perceber o calor de um jeito diferente. A sede vem e depois vai embora. A miragem é substituída pelo escuro e pelas estrelas vermelhas. Tudo que quero é continuar em frente, mesmo que leve uma semana, mesmo que o sol me mate, quero seguir até o litoral, abrir meus olhos debaixo d'água e enxergar o profundo e fresco nada que há sob a superfície, deixar a maré me levar para onde quiser. Para longe.

Saio da bicicleta quando ela bate contra uma pedra, e saio voando por cima do guidão. Estou bem, a não ser pela pele esfolada de meus joelhos e mãos, mas é difícil me levantar. Um arbusto cria uma sombra pequena e me arrasto até ela, deixando-me cair ali. Há sal nos meus lábios, tenho sede e estou queimada, mas não infeliz. Fico deitada e observo um *whistler*[1] voar alto, cruzando o ar quente, e imagino que ele é uma gaivota e eu estou no convés de um barco, saltitando com os piolhos do mar. Karen está comigo, estamos bebendo Coca e ela tem os dedos entrelaçados com os meus. Vou ficar aqui, penso, vou levantar âncora, e deitar sobre o convés do barco, e deixar que me leve para seja lá onde o centro esteja.

Percorro o corredor de minha mente e sequer olho para as portas que recobrem suas paredes.

Quando acordo, Otto está de pé em minha frente, tomado de fúria. Ele me agarra, coloca-me sobre o ombro, e sinto como se minha pele queimada de sol estivesse sendo arrancada. Um gostinho do que é ser literalmente queimada.

Quando desperto de novo, estou em minha cama e Otto me dá água na boca, e então esfrega creme em minhas costas e rosto. "Maldita desgraça", ouço-o dizer.

Na manhã seguinte, tenho febre e o quarto não para de girar. Otto não fala comigo, apenas aparece com um sanduíche de vez em quando, fica parado a meu lado enquanto como, até que eu fique bem de novo. Quando me sinto melhor, saio do quarto enrolada em uma toalha, e Otto está lá na sala assistindo às novelas. Ele não olha para mim.

---

[1] Espécie de pássaro canoro encontrada em partes da Austrália e Indonésia.

"Ora", fala para a TV, "a princesa acordou."

"Eu me perdi", digo.

"Se perdeu em uma linha reta? Precisa se esforçar para isso."

"Estava procurando algum lago", mas enquanto tentava inventar uma história, meus olhos notaram algo na frente da casa, e perdi o raciocínio. Minha bicicleta está caída, em pedaços. Foi atropelada repetidas vezes, esmagada contra o chão.

"Minha bicicleta", é tudo que posso dizer.

Otto me olha. "Eu não a vi", fala, e nem mesmo tenta fazer com que eu acredite.

Mais tarde, naquela noite, estou em meu quarto e ele destranca a porta, deita-se a meu lado e quer transar, mas eu não quero nada com ele. Estou brava e o empurro.

"O que é isso?", pergunta.

"Eu não quero."

"Está de mau humor?" Não respondo. "Você tem sorte por eu não ter te espancado com o cabo de vassoura, menina", diz e se levanta. Da porta, fala: "Você não me faz de bobo". Então, bate a porta e a tranca com muito barulho, de propósito. Ouço-o seguir para a sala e ligar a televisão. A porta da geladeira fecha e sacode a casa.

Pela manhã, ele me dá bom-dia com um olhar severo.

"Estamos sem carne", é tudo que diz, me levando pelo braço até o caminhão, onde Kelly já está esperando, ofegando de animação. Dirigimos pelo rebanho, e na caçamba do caminhão, ele traz uma sacola grande de lona preta. Penso no sapato embaixo da casa. No brinco no galpão da lã. Nas coisas que Kelly encontra para devorar em meio à grama alta e seca.

Otto agarra uma ovelha com uma força espantosa, que eu nunca vira antes – como se ele estivesse deixando os músculos hibernarem até agora. É diferente da força que ele usa para tosquiar – é cruel, como se quisesse deixá-la saber o que virá. Ele a arremessa sobre o declive em frente, e ela faz um barulho terrível. Permaneço de pé do lado de fora do barracão, muda. Kelly também está em silêncio. Agacha--se rente ao chão, do lado de Otto, rastejando aqui e ali com os olhos nublados e um ar de serpente. O resto das ovelhas tem as orelhas aguçadas e se amontoa no canto mais distante do curral. *Uma por uma*, devem estar pensando, e eu luto contra a vontade de derrubar a cerca e dizer para elas que fujam. Elas simplesmente ficam paradas ali. De onde estou, posso ver o interior do galpão, o gancho com uma mancha escura logo abaixo.

"Entre aqui, garota, quero que você veja como fazer isso", Otto grita, e finjo que não consigo escutá-lo, porque não posso me mover. Vejo-o balançar a cabeça e o berro da ovelha gela meu esqueleto. Ele apanha uma faca de lâmina larga da sacola e corta de uma vez só a garganta branca do animal, e ela ainda está viva e tentando balir. Otto a agarra firme entre as coxas, e suas patas traseiras estão feito loucas, e o vermelho escorre de seu pescoço como uma torneira aberta. Ele faz outro corte, e a voz da ovelha some, gorgolejando, enquanto sua traqueia é cortada, e o estampido dos cascos diminui. Tenho um grito na garganta que quer sair, mas eu não deixo, não desvio o olhar.

"Você tem que aprender a fazer isso." Esfrega o braço embaixo do nariz, para enxugar o suor, e deixa um rastro de sangue marrom em seu rosto. Ele me encara, um olhar contínuo que arrepia os pelos de minha nuca. Há alguma coisa nele, naquele bafo de sangue, que não é natural. Um pássaro chia do alto do galpão. Otto dá de ombros, e a tensão desaparece. "Tanto faz, depois vemos isso." Meus joelhos estão fracos.

A ovelha está morta, e Kelly baba sobre ela. Como não precisa mais se preocupar em assustá-la, fica esperando para poder prová-la. Otto pega uma faca menor e corta os tendões do lombo da ovelha, antes de espetá-la com alguns ganchos e erguê-la do chão com cordas e roldanas. Vejo uma gota de sangue escorrer por seu olho.

"E é assim que os muçulmanos fazem", ele diz, um sorriso de satisfação no rosto. Corta fora uma de suas patas dianteiras e joga para Kelly, que aceita o casco como se sempre tivesse pertencido a ela. Fica de pé, as patas afastadas, e enfia os dentes naquilo.

"Certo", continua Otto, "vá buscar outra." Fico parada. "Vamos, anda logo."

"Não consigo", falo.

"Eu já vi você pegar uma ovelha. Vamos, não seja chorona."

"Não quero."

Otto olha para mim com os olhos semicerrados. "É parte do trabalho de ter animais, menina. Falei sobre isso para Carole, e ela também não me deu ouvidos. Não escolhi você por ter medo de ver sangue." Há um leve sorriso em seus lábios. Ele tenta não demonstrar, mas está se divertindo em me ver assustada.

Posso sentir meus braços fortes pendendo de meus ombros, frágeis como penas. Quero que ele entenda, de algum modo, a importância de não precisar fazer aquilo. Lamento muito por meu mau comportamento, quero dizer a ele, quero dizer que não vou fazer mais nada, juro. Aceito apanhar com o cabo de vassoura, mas não isso. Mas tudo que consigo é dizer as palavras "Por favor".

Ele sai do galpão e volta com uma ovelha meio arisca, aquela com as manchas negras no focinho. Otto tem um sorriso no rosto, deixa que transpareça, não se importa com o que penso sobre ele. Olha para mim como se eu fosse uma criança que fez pirraça e em quem, agora, ele vai dar uma lição, da qual rirá depois. Está acontecendo, não importa o quanto eu deseje que não aconteça, e consigo ver seu pau duro por baixo da bermuda, e ele está fazendo isso porque prefere me ver como uma criancinha que pode enfiar na cama e dar de comer na boca. Enxergo a terrível certeza do desafio, e vou mostrar a ele que sou mais forte do que ele pensa, e a ovelha com as manchas no focinho vai ser o sacrifício.

Em algum lugar, uma lona ondula com uma brisa que não me alcança. Cambaleio enquanto as lágrimas enchem meus olhos, forço as pálpebras para que elas não escorram e pego a faca sobre a tábua, ainda quente e vermelha da ovelha anterior. O animal com focinho negro se contorce embaixo de Otto, e Kelly parou de mastigar sua pata de ovelha para assistir, interessada enquanto passo a ovelha para baixo de minhas pernas e puxo sua cabeça para deixar a garganta à mostra. Agarro seu focinho para que ela não faça aqueles barulhos horríveis e, com um movimento, corto sua garganta o mais fundo que consigo. Quero que ela esteja morta antes mesmo de se dar conta, mas ela se debate sobre mim conforme o sangue jorra, e conforme suas forças se esgotam, as minhas também se vão. Ainda assim, seguro-a contra mim, forçando meu rosto contra a lã no alto de sua cabeça. Kelly está latindo outra vez. Otto está em silêncio, observando, e ele olha para a faca que ainda seguro, já sem sorrir.

Assim que Otto retira as costelas e ombros, largamos as carcaças no curral perto da casa, e Kelly saltita ao nosso lado, alegre como um filhote. Não as jogamos muito longe, então ela se adianta e morde inúmeras vezes o que restou. Eu gostaria que ele tivesse tirado as cabeças. Kelly se debruça sobre as patas e rola sobre os restos. Transamos quase imediatamente ao entrar em casa, e deixo que ele faça tudo que quiser, o que é tudo. Depois, quando se vai, deito no chão e faço flexões até minha visão se encher de pontos pretos.

Pela manhã, depois de tomar banho, estou apoiada na pia do banheiro e meus olhos recaem sobre o remédio de ouvido de Otto. Sem pensar duas vezes, tiro a tampa e o derramo pela garganta. Otto aparece e me encontra debruçada na privada.

"Qual o problema, menina?"

Sinto-me falsa, mas exagero mesmo assim.

"Preciso ir ao hospital." Quando estiver lá vou poder escapar, ou falar para alguém, alguma enfermeira simpática, que preciso fugir dele. Imagino-a me ajudando a entrar no carro e dirigindo até a estação, dando-me dinheiro para uma passagem até o litoral. Otto sente a temperatura de minha testa enquanto vomito. Torço para que esteja quente.

"Está doendo", digo, agarrando meu estômago. Quero que ele pense que estou com apendicite. Otto passa a mão sobre o rosto.

"Olha", fala, por fim, "vou até a cidade e trago algo para acalmar seu estômago."

"Preciso de um médico."

"Você vai ficar bem." Ele começa a ir embora.

"Eu quero ver um médico, estou doente de verdade", digo, com a voz mais fraca que posso, mas Otto já está decidido, posso ver em sua cara enrugada.

"Vou trazer algum remédio. Você só tomou muito sol outra vez", ele fala de um jeito que sei ser sua palavra final.

Ouço o caminhão seguindo sem mim. Eu já havia me imaginado bebendo uma Coca e comprando alguns Holidays a mais, fumando em um posto de gasolina.

Vomitei todo o remédio, mas continuo pensando na cera no ouvido de Otto. Sei que são apenas as gotas que engoli, mas tenho a sensação de que a cera está recobrindo meu corpo por dentro. Saio para tomar ar fresco, mas Kelly está sentada em silêncio do outro lado da porta, observando meus movimentos. Mostro o dedo do meio, mas ela não parece impressionada.

No quarto de Otto, há uma foto na parede de um ramo de flores roxas em um vaso amarelo desbotado, mas essa é a única concessão na decoração do lugar. É de alguma outra pessoa, provavelmente Carole. Nunca venho aqui, nem mesmo para limpar – ele sempre vai até meu quarto, e o cheiro desse lugar é como se tivesse uma panela de ensopado guardada embaixo da cama.

Encontro, no armário, um terno comido por traças e com manchas amarelas e ressecadas nas axilas, e quatro vestidos que devem ter sido de uma mulher bem pequena. Embaixo deles, três sapatinhos femininos: dois de plataforma roxos e um único salto alto rosa. Todos têm a ponta fina, e não consigo imaginar nem mesmo um dedo entrando naquilo. Fico olhando o sapato rosa. Percebo algum movimento no curral, pela janela do quarto, mas provavelmente é só um rato ou um *bandicoot*.[2] Prendo a respiração e observo, mas nada sai da grama alta.

Em uma prateleira sobre os vestidos há uma caixa de chocolate sem tampa. Dentro dela, a licença de motorista de Carole McKinney, de Carnarvon – que tem, segundo o documento, quarenta e dois anos. Também há dois braceletes feitos de corais azuis e laranjas e um batom vermelho sem a tampa. Embaixo desses objetos, uma foto grande

---

2   Grupo de diversos marsupiais da Austrália.

de Carole e Otto no dia de seu casamento. Ele está vestindo o terno com as manchas nas axilas e Kelly está a seu lado, olhando direto para a câmera. Seus braços estão sobre os ombros de Carole, então a axila não é visível. Carole veste um dos vestidos que está diante de mim – é espalhafatoso, roxo e com um dos ombros à mostra, o outro com um laço enorme de cetim, como se ela fosse um presente pronto para ser desembrulhado. Ela segura um cachorrinho branco peludo, com ambas as mãos. Os cabelos curtos têm luzes e permanente, seus olhos são quase invisíveis sob tanto rímel, e lá está também o batom rosa-choque, marcado por seus dentes salientes. Carole está sorrindo, tentando manter os dentes sob controle, e mostra uma perna longa e morena para a câmera. Otto está de pé, firmemente apoiado em ambas as pernas, as costas retas e uma expressão de que poderia comer alguém com os olhos. Tudo isso foi em frente ao cartório de Darwin. Minhas mãos começam a suar quando reconheço os brincos que Carole usa, e tenho de colocar a foto de volta na caixa para que não fique marcada. Eu gostaria de rasgá-la em pedaços.

Vou até a cozinha e pego, debaixo da pia, a caixa cheia de abridores de lata enferrujados e colheres tortas. Encontro uma faca curvada e coloco novamente a caixa sob a pia. Atrás de onde a caixa normalmente fica, vejo uma lata de melado que nunca havia notado. Levanto sua tampa com uma colher e dentro há um grande bolo de dinheiro. Coloco a lata e a caixa no lugar, e depois ponho a faca perto da minha cama. Deito e fico pensando sobre o dinheiro, sobre quão longe chegaria com ele. Ouço o barulho do caminhão de Otto voltando. Ele me traz uma lata de Coca e um xarope de menta.

13

Acordei cedo e fiquei um tempo na cama, tentando colocar as coisas no lugar. Havia ido me deitar e ficado à escuta de rangidos nos degraus. Não houve nenhum, então prestei atenção às batidas na parede, mas ela também estava quieta. Algo estava mudado na casa. Até a raposa parara de guinchar. Dormi profundamente, sem sonhar. Quando acordei, havia largas gotas de chuva na janela, e o vidro volta e meia balançava em sua esquadria, mas o céu não mais estava escuro. Eu podia ver a sebe no alto da colina, encurvada pelo vento.

No térreo, Lloyd dormia no sofá com uma Bíblia velha aberta sobre o peito. Ele deixara a luz acesa, e quando apertei o botão para desligá-la, ele acordou sobressaltado.

"Cristo", ele disse, com a mão sobre o rosto. Peguei o telefone e disquei o número de Don. Ninguém atendia, ainda. Já era tarde – ele devia ter voltado e saído de novo. Virei-me para olhar Lloyd e sua Bíblia.

"Você é crente?", perguntei. Ele manteve a mão sobre os olhos por uns instantes. Quando a baixou, olhou para mim.

"Quê?", e então olhou para a Bíblia. "Ah."

Comecei a encher a chaleira.

"Não – foi o único livro que encontrei e pensei que podia dar uma chance." Bocejou exageradamente.

"E como foi?"

"Melhor do que ficar acordado ouvindo você."

Parei o que estava fazendo. "Ouvindo o quê?"

"Jesus, você estava sonhando com algum tipo de filme de terror. Eu fui lá em cima, pensei que você estivesse sendo assassinada, mas o cachorro não me deixou entrar. Você estava berrando, não acordou quando chamei seu nome."

"Preciso sair para cuidar das ovelhas agora", eu disse. Então me virei e subi as escadas até meu quarto. A banheira estava cheia de água até a borda. Puxei o tampão e vi a água começar a escoar. Sequei as mãos em uma toalha, desci as escadas e parei na frente de Lloyd.

"Preciso sair para cuidar das ovelhas agora", disse novamente.

Todas as ovelhas foram contadas, e o vento frio queimava meus lábios e fazia uma serpente branca de fumaça sair de minha boca. Havia um cheiro novo no dia, o vento mudara de direção e agora carregava sal e fogueira. Galantos que haviam desabrochado à noite foram sopradas ao chão. Marquei as ovelhas que pareciam esperar gêmeos e trigêmeos, e Cão caçou um coelho pela mata.

Reuni mais ou menos uma dúzia das que estavam mais distantes, e uma raposa apareceu na borda do bosque enquanto eu trabalhava. Parei o que estava fazendo e a observei. Comparada às ovelhas, ela era pequena e assustadiça.

"Não foi você, foi?", perguntei em voz alta. Se eu fosse outro tipo de fazendeira, estaria ali com minha arma e a espantaria. Vi dois filhotinhos magrelos caminhando logo atrás dela.

Eram bastante novos, e ela devia estar precisando de comida para mantê-los amamentados, mantê-los fortes. Olhei para a ovelha que acabara de pastorear, deitada confortavelmente na grama, vendo-a suspirar com a própria solidez contra a terra.

Um dos filhotes de raposa abocanhou uma mosca, e as orelhas da mãe se aguçaram com alguma coisa no meio da grama. Ela tirou uma das patas do chão, ouvindo, então agarrou um dos filhotes pelo cangote e o outro seguiu rápido atrás, para a escuridão onde era seguro estar. Cão apareceu do meio das árvores, a comprida língua rosa para fora, sementes por todo o focinho e carrapichos nas patas de trás. Parecia feliz. Se pudessem, iam todos se matar uns aos outros: a raposa mataria a ovelha, então Cão mataria a raposa.

Cão veio cheirar a lã vagabunda recém-tosquiada, então se deitou ofegante perto da ovelha prenhe, que se esforçou para levantar e sair dali, como se não fosse capaz de suportar o cheiro do cão. Das árvores, um bando de estorninhos alçou voo. Talvez eles sinalizassem a raposa se movendo mais para o meio da mata.

Da cerca, vi que o caminhão de Don estava de volta e respirei aliviada.

"Por Deus, o que aconteceu com você?", ele disse enquanto abria a porta, sorrindo como sempre fazia nas vezes em que sabia exatamente o que acontecera e ficava esperando que eu pedisse sua ajuda. "Atolou, não foi?"

"Você poderia me rebocar?", pedi, envergonhada.

"É uma boa hora para chamar um daqueles fazendeiros moços, não acha?", respondeu, sem se mover nem um centímetro.

"Eu poderia fazer isso sozinha se você me emprestasse suas chaves. Poderia resolver sozinha."

"Mesmo? E quem iria dirigir? Algumas coisas você não pode simplesmente fazer sozinha." Ele se virou e começou a vestir o casaco. "Por isso fazendeiros precisam conhecer uns aos outros. Você os ajuda, eles a ajudam, e assim as coisas seguem. Tudo que você precisa fazer é ir ao pub uma vez por semana, por umas duas horas", começou a calçar as galochas, "porque mais cedo ou mais tarde eu vou dar de cara em um poste, morrer, e aí? O que você vai fazer? Morrer de fome, imagino." Don estava de bom humor, pelo menos.

Precisamos de duas tentativas para desatolar o caminhão, e assim que ele se soltou, Don se inclinou pela janela. "Esse é aquele cara que a ajudou a sair da vala?"

Lloyd estava chegando pela trilha, parecendo um caipira andarilho apoiado em um cajado.

"Sim."

"Muito útil tê-lo por perto."

Lloyd ergueu a mão em cumprimento. Don acenou com a cabeça e desligou o motor. Desliguei o meu também, relutante.

"Olá", Lloyd disse a Don. Ele me olhou, e talvez eu tenha imaginado coisas, mas ele parecia machucado. "Fiquei pensando aonde você teria ido – pensei se eu poderia ajudar com algo. Mas você livrou o carro, estou vendo." Houve um silêncio no qual as palavras de Lloyd ficaram dependuradas.

Don olhou para mim. "Volto logo com uma motosserra, para tirar isso daqui", ele disse, apontando para a árvore.

"Obrigada, mas tenho uma serra. Vou ficar bem." Don apertou os olhos em minha direção.

"Minha serra é uma grande", falou.

Fiz que sim. "A minha é bem grande também."

"Você sabe como usá-la?"

"Sei."

"Ora", disse Don, insatisfeito. Dobrei a língua dentro da boca e dei um sorriso curto. Era importante não ser rude. A atenção de Don se voltou a Lloyd.

"É bom vê-la com um pouco de companhia por aqui."

Limpei minha garganta.

"Oh", disse Lloyd, visivelmente desconfortável. "Temo que eu tenha forçado minha presença aqui."

Don quase gritou. "Até que enfim!" Ligou novamente o motor, para ficar com a última palavra, ergueu a mão e sumiu estrada afora. Lloyd olhou para mim, e tentei relaxar minha mandíbula.

"Ele gosta de provocar você, aquele velhote, ahn?"

"Gosta."

Dirigimos de volta para pegar a motosserra, em silêncio. Entrei no galpão para pegar mais diesel e peguei um machado também. Lloyd esperou perto do carro, conversando gentilmente com Cão. Coloquei o machado e a motosserra na caçamba, e ele tentou me acompanhar.

"Você fica aqui", falei.

"Ahn..."

"Com o cachorro." Entrei no caminhão e o deixei lá, com cara de desconcertado.

De volta à árvore tombada, saí do caminhão, deixei a porta aberta e tirei as ferramentas da caçamba. Comecei com o machado, sentindo meus ombros latejarem, desbastando os galhos menores até ter limpado bem o tronco, então me lancei sobre ele, cortando sem mirar em nenhum ponto específico, mas com um ritmo regular, gritando e suando conforme talhava a madeira até que não tivesse mais forças nos braços, parando esbaforida e fechando os olhos. Eu tinha um pensamento único e claro: *Ele não me conhece*. E regulei a motosserra, puxando a corda para ligar seu motor.

Estava escuro na hora em que acabei, e chovendo. Lloyd havia acendido a lareira.

"Espero que você não se incomode", disse quando eu entrei e o vi na pia, lavando-se. Cão abanava o rabo em seu canto no sofá, como se tudo estivesse normal.

"Como foi com a árvore? Eu teria cozinhado algo", continuou, "mas não sabia o que poderia pegar. Fiz um pouco de limpeza, em vez disso." Ele se virou e olhou para mim. "Não que o lugar precisasse, mas só para agradecer." Voltou-se novamente para a pia.

"Huh", eu disse. Era irritante que ele houvesse mudado coisas de lugar, e que a casa parecesse melhor por causa disso. O cheiro estava diferente, o ar, seco e aquecido. Eu nunca acendia a lareira. Enchi a banheira e entrei nela antes de perceber quanta dor eu sentia.

Dividimos uma lata de sopa de cogumelos à mesa. Eu pensara em cozinhar o frango, mas ele não cheirava bem. O vento chacoalhava a chaminé do fogão. Era tarde para levá-lo de volta à cidade, mas talvez depois do jantar.

"Então", Lloyd falou, não pela primeira vez, e como o silêncio era desconfortável, me levantei e fui buscar uma garrafa de uísque no armário. Servi duas canecas e me sentei, entregando uma a ele.

"Obrigado", ele disse e tossiu. "Então."

Cão rosnou. Nós dois olhamos para ele, que abandonara o calor da lareira e estava de pé na porta da frente, a cabeça baixa. Lloyd se virou para mim.

"Por que ele está fazendo isso?"

Arrastei minha cadeira e fui até a janela.

"Está farejando algo lá fora." O rosnado era profundo, vindo de suas entranhas. Afastei as cortinas e olhei para fora.

"Apague a luz", falei em voz baixa.

Lloyd desligou o interruptor e veio para perto de mim. Fechei os olhos por um instante, para acostumá-los à escuridão, e então olhei outra vez.

"O olho humano percebe movimentos antes de qualquer outra coisa", disse Lloyd, e eu o encarei. "Que foi?", ele disse. "Eu li na *National Geographic.*"

Fora da janela, nada se movia.

"Alguém está vigiando a casa, posso sentir", falei, e Lloyd arregalou os olhos para mim.

Houve uma batida alta na porta, e Cão rangeu os dentes e uivou como um lobo.

"Merda", sussurramos os dois.

"Quem está aí?", perguntou Lloyd, com uma voz mais grave do que eu já havia ouvido. Tossiu, com a boca fechada.

Não houve resposta, mas a maçaneta começou a se virar e chacoalhar como se alguém estivesse tentando entrar.

Segui na direção da porta.

"O que você está fazendo?", chiou Lloyd.

"Isso é estupidez", chiei de volta. "Segure o Cão." Lloyd o agarrou pela nuca e o segurou, enquanto ele latia e se debatia. Se eu estivesse sozinha, teria trazido o machado para a porta comigo.

Do outro lado havia um homem de rosto jovem. Seu cabelo castanho, com gel, descia em mechas espetadas do alto da cabeça até os olhos. O vento entrava na casa e tudo que eu conseguia pensar era que em algum momento, no futuro próximo, aquele homem teria ido embora, a porta estaria fechada e o vento novamente ficaria do lado de fora.

"O que você quer?", perguntei com uma voz não tão confiante quanto eu gostaria. Ele me olhou, confuso. Parecia que seus cabelos interferiam em seus olhos, vermelhos e encrostados de amarelo. A pele em volta de seu queixo e pescoço havia sido recentemente livrada de manchas. Vestia um casaco que parecia macio e quente, encarando-me enquanto esfregava o indicador na lateral do nariz. Respirava com dificuldade.

"Quem é você?", perguntou. Olhou à minha volta de um jeito que me fez pensar que logo ele entraria na casa. Cão latiu às minhas costas.

"Eu moro aqui. O que você quer?" Ele parou de esfregar o nariz e olhar por sobre meu ombro, e olhou para mim por algum tempo.

"Onde está meu pai?", o homem perguntou.

"Você é... Está falando de Don?"

"Estou falando do meu pai, e quem caralhos é você?" Suas sobrancelhas se contraíram.

"Eu moro aqui", disse novamente. "Comprei o lugar de Don Murphy – se esse é seu pai, ele mora no outro vale agora..." Mas ele não me ouvia, sua boca estava aberta e ele respirava por ela, correndo a mão pelo nariz que começava a escorrer.

"Você está trepando com o filho da puta, não está? É isso aí, ele enfia o pau em alguma boceta e esquece sobre Samson, foda-se Samson."

Cão rosnou.

"Muito bem", disse Lloyd atrás de mim, em tom professoral. Aprumei o corpo para assumir toda a altura que tinha, mas o homem não se intimidou. Olhou para Lloyd.

"E quem que é esse puto barbado?" Sua voz afinou e ele fungou outra vez. O vento o golpeava pelas costas e ele deu um passo adiante. Havia um pouco de baba branca no canto de sua boca. Deu dois passos para trás, para se estabilizar, e mais dois para frente. O latido de Cão ecoou pelo vale.

"Cuidado", eu disse. Ouvi Lloyd levando Cão para o quarto, para trancá-lo. O jovem me olhou sobre os ombros novamente.

"Não coloque esse cachorro imundo no meu quarto!", gritou. "Mas que porra?" Ouvi a porta fechar e Cão se atirar contra ela, uivando e arranhando. Lloyd veio e se pôs ao meu lado.

"Olha", ele disse, "vá até o outro vale e fale com seu pai. Se você não for embora vou soltar o cachorro, e ele está completamente descontrolado."

Olhei para Lloyd.

"Vai tomar no cu, vovô." O rapaz deu outro passo para a frente, erguendo o punho. Lloyd se colocou na minha frente e o agarrou pela garganta, e o jovem se calou e cambaleou para trás, tentando retomar o fôlego.

"Eu avisei", disse Lloyd. "Agora sai fora."

Lloyd havia se colocado no vão da porta, subitamente ocupando mais espaço do que o normal. O garoto estava derrotado.

"Sinto muito", sussurrou e apertou os pulsos contra os olhos. "Eu não queria ter sido rude." Soltou um pequeno soluço e se virou. Com alguns passos, estava fora de vista. Da escuridão vinha um choro abafado, e o barulho ecoou pela casa muito tempo depois de termos fechado a porta. Cão gania do quarto e Lloyd deixou que ele saísse. O cão deu três voltas na mesa da cozinha e foi se postar junto à porta da frente, olhando por baixo dela com uma concentração terrível.

Lloyd bateu uma mão na outra e as esfregou vigorosamente. "Certo", disse alto, "vamos para o pub, então?"

Eu estivera no Blacksmith's Arm dois anos antes. Não tinha sido bom. Sentada no bar com uma caneca de algo quente e encorpado, havia tentado uma conversa desengonçada com o barman.

"O vento é sempre forte assim?" Ele me olhou com uma expressão incompreensível.

"Às vezes."

Depois, um fazendeiro bêbado esbarrara em mim e eu gritei com ele. Fui embora sem nem beber um terço da cerveja.

Quando Lloyd foi ao bar, notei como era fácil para ele, como o barman começou uma conversa sem hesitar. Estava quente, a luz baixa e a chuva batia nas janelas. Lloyd nos trouxe uísque. Colocara muito gelo no meu, então pesquei dois cubos e os passei para um copo vazio. Lloyd me observou, sem falar nada. O uísque seguinte veio só com uma pedra de gelo.

"Nunca venho aqui", falei depois de algum tempo.

"Por que não? Parece legal. Bom ambiente."

Olhei-o um pouco antes de responder.

"Eles não gostam de mim."

"Ah!", retrucou. Franzi a testa. "Eles têm curiosidade sobre você."

"Curiosidade?"

"Cristo, eu estou aqui há meia hora e duas pessoas já perguntaram como nos conhecemos e que tipo de ovelha você cria."

"O que você respondeu?"

"Que não nos conhecemos, e que elas são brancas."

Espiei o barman, que me olhava, e me virei na cadeira. Lloyd não parecia se incomodar.

"O que você vai fazer?", perguntou. "Sobre o garoto."

Dei de ombros. "Vou falar com Don pela manhã."

"Acha que pode ser ele que está... ferindo as ovelhas?"

Girei meu copo na mesa algumas vezes. Eu não achava. Vendo-o lá fora, no escuro, senti alguma coisa estranha soprando em meu peito, como se eu o reconhecesse, como se já nos conhecêssemos antes. Aqueles olhos embaçados e a boca de desespero.

"Não sei. Ele parecia maluco." Lancei os olhos para Lloyd e depois virei meu uísque. "Já não tenho tanta certeza sobre serem as crianças. Vi uma raposa hoje cedo."

"E ele conta como criança?"

Encolhi os ombros. "Ele parecia um merdinha."

"Certo", respondeu Lloyd.

Ficamos olhando um adolescente tentando conseguir bebida. Segurava algumas chaves na mão, provavelmente esperando que fossem tomadas pelas chaves do carro ou da casa da família. Vestia um casaco justo que, nele, parecia ser uma jaqueta de colegial.

"Uma caneca de cidra, por favor", falou, e o barman nem se moveu para atendê-lo, apenas observando o garoto, as mãos apoiadas no balcão como se tirasse uma queda de braço com ele. O garoto pigarreou e apontou para a torneira. "Cidra, uma caneca, por favor." Deu a impressão de que falaria *meu bom homem* no fim da frase, mas decidira acertadamente por não falar. O barman ainda não se movia, encarando o menino com uma expressão firme. Então, devagar, levantou o braço e apontou sem nem olhar para um adesivo sob as bebidas, em que havia um 18 sublinhado em vermelho. Não disse uma palavra, mas as orelhas do garoto ficaram vermelhas. Ele abriu a boca e a fechou, tentando achar um jeito descolado de sair daquela situação. Quase conseguiu, balançando os braços e mantendo os joelhos flexionados e o pescoço solto. Mas tropeçou no tapete, algo que nem chegava a ser um obstáculo mas o fez perder a tranquilidade, enrubescer completamente e sair correndo pela porta. O barman continuava olhando para o mesmo ponto que olhava antes, como se o garoto ainda estivesse ali.

"Idade terrível", comentou Lloyd. "Você não consegue fazer nada." Terminou sua bebida. "Acho que não havia idade mínima para beber quando eu era pequeno. E você? Aposto que conseguia uma bebida."

"Por quê?", perguntei, mais brusca do que pretendia.

"Quero dizer, você é alta", disse e olhou para seu copo vazio. "As leis sobre bebidas são as mesmas na Austrália?", perguntou, como se parecesse ter pensado em uma coisa realmente interessante. Percebi que o havia deixado sem jeito.

"Acho que sim", foi minha resposta. Terminei minha bebida também e segui até o bar. O barman me olhou por um instante, antes de vir me atender.

"Outra dose?", perguntou, e fiz que sim com a cabeça, olhando as garrafas na parede atrás dele. A transação foi feita em silêncio.

Quando voltei à mesa, Lloyd havia encontrado um livro na prateleira do pub que se chamava *Aprenda por si Mesmo: Como Adestrar um Cão Pastor*. A foto da capa mostrava um fazendeiro grisalho com costeletas grossas, seu cão obediente sentado a seus pés. No fundo, algumas ovelhas da espécie *welsh mountain* estavam bem reunidas, olhando para a câmera.

"Está dizendo aqui", Lloyd falou, "que é possível ensinar o básico sobre controlar ovelhas para um *collie* de qualquer idade." Levei o copo à boca, para que ele não esperasse um comentário meu. "Vale a tentativa, não acha?", perguntou. Não movi o copo.

Na hora em que o pub fechou, eu estava bêbada demais para dirigir, mas os olhos de Lloyd estavam sonolentos e ele parou no meio de uma frase dizendo "Olha olha olha, a gente não pode dirigir, por que nós não...", e não conseguiu pensar no que dizer depois, ou esqueceu o que estava falando.

Entramos no caminhão, e Cão deu as costas para nós, aborrecido por ter sido deixado no estacionamento e pelo estado em que saímos do pub. Agarrei o volante mais forte conforme deixávamos as luzes da rua para trás, dirigindo escuridão adentro.

"Meu pai me disse", começou Lloyd, com uma voz arrastada, "quando passei no teste de direção, ele disse 'Filho, se você for voltar para casa de carro bêbado, abra a janela e apoie a cabeça no batente, prestando atenção na faixa branca da lateral da estrada. Não tem como dar errado'."

Olhei para Lloyd, que fechara os olhos e deixara a cabeça reclinar contra o apoio do banco. "Não tem como dar errado", falou outra vez para si mesmo. Pegou no sono em três minutos, o que foi bom porque eu precisava me concentrar. Ele ressonava baixinho, e isso me fez sorrir. Era um alívio estar voltando para casa com ele, saber que ele estaria lá, no andar de baixo, durante a noite. Eu nem havia pensado em deixá-lo na cidade – não parecia fazer sentido, já que sua cama estava arrumada. Pouco antes do pub fechar, houve um momento em que ele se levantara para pegar outra rodada e ficara em pé apoiado em meu ombro, para se equilibrar. Mesmo que tenha sentido o impulso de levantar e o afastar de mim, não fiz nada. Fiquei sentada ali enquanto ele ia ao bar, sentindo o fantasma de sua mão em meu ombro e tentando lembrar quando havia sido a última vez em que alguém me tocou só para recuperar o equilíbrio, naquele estado mental de preguiça e distração. Virei os olhos novamente para seu rosto adormecido, o osso largo de seu nariz, e o caminhão oscilou, então voltei a prestar atenção na estrada e pisquei os olhos na escuridão. Os faróis iluminavam insetos demais para aquela época do ano, brancos na claridade, largos flocos alados, feito cinzas. Demorei a perceber que não eram insetos, mas neve. Tirei o pé do acelerador e continuei pelo escuro, vendo a neve cair. Pensei em acordar Lloyd para mostrar a ele, mas tive a impressão de que aquilo era exclusivo para mim. Na luz dos faróis, uma raposa ou um veado, apesar de não parecer nenhum dos dois, passou correndo pela frente do caminhão e tanto fazia que bicho era. Freei tão de repente que Lloyd tombou com a cabeça no painel, enquanto Cão gania ao ser atirado para fora do banco de trás. "Porra!", gritou Lloyd.

"Você viu isso?", sussurrei, puxando o freio de mão e abrindo a porta, esquecendo de soltar o cinto de segurança e ficando presa na porta, minha respiração saindo branca.

"Vi o quê? Estou sangrando. Deus do céu. Eu disse que estávamos bêbados demais para dirigir."

Fiquei parada na borda da mata, forçando os olhos pelo silêncio, com a neve caindo e meu coração batendo e o motor roncando. Aquilo havia olhado para mim, olhado bem nos meus olhos antes de desaparecer, e era grande e negro e seus olhos eram amarelos.

14

Shortland Street passa duas vezes ao dia, e assistimos sempre em algum dos horários, às vezes nos dois. Sempre sobram bebidas sobre a mesa, intocadas. Café ou cerveja, pedidos e às vezes nem mesmo tocados pelos atores antes que irrompam para fora da cena, às vezes sorvidas devagar e com uma expressão de tristeza no rosto. Durante o programa, Otto me explica alguns pedaços.

"Vê aquele ali, ele tem um histórico com mulheres – e aquela é sua esposa, mas ele na verdade está apaixonado por aquela outra. Mas ela só quer saber do dinheiro." E "ele está falando sobre o grande incêndio que aconteceu. Foi lá que seu pai morreu". Aceno com a cabeça, assistindo às bebidas serem desperdiçadas. Ao final, estou triste e com sede, mas penso no meu último cigarro, escondido onde Otto não vai olhar. Coloquei-o sobre o armário e tenho conferido de vez em quando, para ter certeza de que nenhum bicho comeu aquilo ou roubou o tabaco para fazer um ninho. Mas, de súbito, não me importo se uma ninhada de aranhas o tenha usado para fazer seu lar, eu vou fumar do mesmo jeito.

Esgueiro-me para fora, até a latrina. Havia pensado em fumar lá, mas o calor deixa o banheiro ainda pior, então penso *Que se foda, vou só me esconder ali atrás.* Kelly está debaixo da casa, vasculhando a sujeira, e ela nem me olha duas vezes. Sinto-me uma heroína quando acendo o fósforo atrás da casinha, dando aquela primeira tragada que me faz sorrir e minha cabeça girar. Não sei quanto tempo faz. Meses. Talvez meio ano. A fumaça espanta as moscas de perto do meu rosto. Uma confiança suicida surge em mim e espio de onde estou, vejo Kelly de costas para mim, cavando sob a sombra da casa, e a parede defronte a mim não tem janelas, então dou a volta na latrina e fico ali como ninguém ficaria, fumando um cigarro, como se aquilo não fosse uma coisa ruim a fazer, e sem qualquer preocupação. Sob a casa, a terra está irregular pela escavação de Kelly. Eu já a vira arrastar a carcaça fedida de algum animal do curral para enterrá-la ali. Se percebe que estou olhando, ela me encara e espera até que eu me afaste, para continuar cavando em segredo. Como se estivesse fazendo um estoque de mantimentos.

O sol, naquele momento, não é uma agulha insuportável em meus olhos, mas uma memória clara de minha infância, de ter tido uma. Fecho os olhos e penso no cheiro de eucalipto na lareira. Talvez seja o barato do cigarro, mas eu me sinto bem. Abro os olhos ao ouvir um barulho, e seguro a fumaça no pulmão. Otto saiu da casa e está na varanda, abrindo a calça. Está virado para mim, não tem como não me ver, mas ele não vê. Não se mova, *O olho humano percebe movimentos antes de qualquer outra coisa.* Não me movo, não pisco nem respiro, e Otto mija um longo jato amarelo ali da varanda. Ele atinge o chão perto de onde Kelly está deitada cavando, e ela ergue a cabeça para olhar em volta, vendo a lama que aquilo cria ao cair, as orelhas de pé. Posso ver que entre suas patas há um sapato de mulher, rosa--choque e bem pequeno. Ela mastigou o salto fora, a ponta é bastante fina. Kelly não se deixa impressionar pela urina e volta a encarar a escuridão. Otto peida e suspira. Minha mão treme, mas eu a seguro. Ele balança o pinto pequeno, uma vez, duas, então enfia de volta na calça, canta uma musiquinha que ele próprio inventou e que faz *doodle dee doodle doo*, vira de costas e volta para a casa, a porta de tela batendo quando ele passa.

Otto está de bom humor hoje, então ganho uma lição de direção – a primeira em meses. Tudo acaba sendo bastante fácil. Estou tranquila, e Otto me mostra como dar a ré, e não tenho nenhum problema com isso. Acelero um pouco e o ar entra suavemente pela janela. Otto ri menos, dessa vez, e quando voltamos para casa seu humor está mudado. Quieto, como se tivesse algo na mente.

"Tudo certo, querido?", pergunto, colocando os braços em volta de seus ombros. Quero ser boa para que ele me deixe dirigir mais vezes. Seu rosto fica um pouco carrancudo.

"Não use essa conversinha de puta comigo", diz e afasta meus braços, que caem junto a meu corpo. Ele fica irritado quando tem fome, então faço alguns sanduíches de carneiro com mostarda. Ele come sem olhar para mim, olhando para o caminhão lá fora enquanto lambe os dedos.

Dois dias depois, pergunto a ele sobre dirigir um pouco mais, e ele ri. "Por que você precisa aprender? Quer levar Kelly a um encontro?" Ele ri tanto ao dizer isso, que no fim também tenho dificuldades em segurar o sorriso. Não pergunto mais, por dois dias, até que tenha inventado um motivo.

"E se alguma coisa acontecer a você? Longe como a gente está, posso precisar chamar um médico."

Ele está incomodado, e me dispensa com um aceno. "Não vou para droga de hospital nenhum", diz, e é isso. Não pergunto o que aconteceria comigo, sozinha aqui com Kelly, se eu não puder dirigir para longe – abandonada como aquelas ovelhas depois que Carole se foi.

Nos dias que seguem, faço a tosquia sozinha. No terceiro dia, estou ficando rápida nisso, as moscas já nem me incomodam. Vou devagar, porque depois que a tosquia é feita, já não tenho motivos para ficar fora de casa. Faço pausas entre uma ovelha e outra, tirando larvas de seus buracos no chão com um talo de grama, vendo-as atacarem e depois enterrando os bichos de volta. Encontro um lagarto-de-chifres que pensa que não posso vê-lo, e observo sua dança enquanto muda de uma pata para outra. Também encontro a pele marrom de uma serpente. Há sempre uma ave grande cruzando o céu, olhando para as ovelhas, ou para um coelho, ou o lagarto, ou para mim.

Faço com que as últimas dez me tomem o dia inteiro, e então cogito refazer as primeiras ovelhas, as que tosquiei quando estava menos segura de mim, mas mesmo essas não estão ruins.

Karen está no supermercado. Não consigo acreditar. Está comparando dois pacotes de barra de cereal e arregala os olhos quando me vê, mas também sorri. Vou abraçá-la, mas ela estende a mão entre nós para mostrar o anel de brilhante em seu dedo, e no mesmo fôlego diz "Eu casei, o que você está fazendo aqui?" E demoro um segundo para entender o que ela quer dizer com aquilo. Um cara de chapéu enfiado sobre o rosto olha para nós da prateleira dos jornais, e ela acena para ele.

"Oh, estou ficando com meu tio", digo, esperando que ela entenda o que quero dizer. Aponto para Otto, que me espera fora da loja, olhando e parecendo desconfortável.

"Que ótimo", diz Karen, ainda sorrindo, mas apenas com os lábios. Ela parece amedrontada, se eu me permitir pensar sobre isso.

"Onde você está morando?", pergunto, e seus olhos me atravessam, o sorriso some.

"Cuide-se, querida", sussurra e me passa a caixa de barras de cereal, e conforme o faz dá uma palmadinha nas costas de minha mão, escondida atrás da caixa. Vira-se e atravessa o corredor até o rapaz de chapéu que está olhando com o rosto franzido. Ela o toma pelo cotovelo e ri alto, e flerta, murmurando algo para ele. Antes de afundar o chapéu na cabeça, olha mais uma vez para mim, e ambos saem da loja sem comprar nada. Karen olha para mim uma última vez e some, e já não tenho certeza se eu realmente a vi, se ela estava mesmo ali, ou se imaginei tudo. Finjo também estar interessada nas barras de cereal, pego uma que tem chocolate e outra que é feita de mel de verdade, segurando uma ao lado da outra. Sinto um aperto no coração, que demora um pouco para diminuir. Eu gostaria de tomar uma Coca com Karen. Recordo-me do ar no porto e me pergunto se a vida era tão ruim naquela época, afinal de contas.

No caminhão, Otto pergunta "quem era aquela?"

"Só uma amiga de antigamente", respondo, e quando me olha fixo eu completo: "Era mais tipo uma *conhecida*". Ele não fala mais nada durante a volta, o que para mim não tem problemas porque estou pensando naquela época em que ia para a praia com algumas cervejas, quando Karen e eu passávamos a noite fora, mesmo que não tivéssemos dinheiro para isso. Penso na vez em que ela me deu cinco maços inteiros de Holiday porque um cliente havia estado no exterior e dado a ela um presente do duty-free. Torço para que o cara de chapéu seja legal, que tenha sido ele quem deu aquele presente.

À noite, ouço Otto atravessando o corredor até meu quarto, e começo a me aprontar. Ele gosta de poder ver minhas cicatrizes, diz que faz com que se sinta meu protetor, e imagino que isso não seja algo ruim. Então tiro minha camiseta, enfio os dedões na cintura do short para tirá-lo também, mas os passos param ao chegar na porta, e ele não entra. Em vez disso, ouço o ruído de algo sendo arranhado e vejo a maçaneta chacoalhando. Ainda assim, ele não entra, e continuo olhando para a porta, na expectativa de que ele apareça, mas seus passos começam a voltar pelo corredor, e entendo que ele trancou a porta do meu quarto.

Certo, penso.

Duas semanas depois, estou limpando o forno quando Otto aparece na cozinha com o chapéu nas mãos.

"Vou fazer compras", diz, girando o chapéu. Levanto do chão e tiro o avental por sobre a cabeça.

"Só espera eu lavar as mãos que estarei pronta", digo, mas Otto agora segura o chapéu com uma mão e vira a palma da outra para o chão.

"Não – você fica. Estou vendo que está ocupada."

"Tudo bem, posso deixar o produto agindo – preciso de mais Dettol para as ovelhas – as moscas..."

Otto me interrompe. "Eu trago para você."

Mesmo assim, vou até a pia lavar as mãos e deixo as luvas de borracha sobre a torneira. "Não tem problema, eu posso terminar com o forno mais tarde."

Estou de costas para ele, que diz, em uma voz beirando a irritação, "Você fica aqui", e a porta de tela bate às suas costas.

Quando me viro, ele está entrando no caminhão e deixando Kelly, o que nunca acontece. Ela fica parada enquanto ele vai embora, e depois se vira para mim. Coloco a mão sobre a porta de tela e Kelly baixa a cabeça, os olhos treinados ainda me encarando. Eu não vou sair da casa.

Quando retorna, à noite, vejo Otto tirar as chaves e trancar o carro, colocando o chaveiro pendurado sobre a pia. Ele nunca trancara o carro antes. Nem mesmo na cidade. Pego esse detalhezinho e o levo para a cama, pensando nele enquanto olho pela janela. Alguma coisa mudou – consigo perceber na atmosfera da casa, que começa a me incomodar.

E quando ele vem ao meu quarto, o sexo está diferente, muito suave, faz com que eu me sinta uma boneca de cera. Ele abraça meu tronco por muito tempo depois, a cabeça repousada sobre minha barriga. Beija um pouco acima de meu umbigo e suspira. Olho para a careca no topo de sua cabeça, coberta por manchas de idade, e para o pouco cabelo, oleoso pela própria pele. Sinto que preferia ser fodida com força e odiada, eu preferia ser amordaçada.

"Você precisa de algo?", pergunta. "Quer ir ao banheiro?"

Quando volto, ele ajeitou os lençóis da cama e colocou um copo de água na mesa de cabeceira. Puxa os lençóis para que eu me deite, e quando o faço, ele me cobre até os ombros, mesmo que seja uma noite quente. Ajeita meus pés para que os dedos estejam virados para baixo. Beija minha testa e diz "Boa noite, durma bem". E nessa hora eu penso em chorar, mas me seguro até que ele tenha saído do quarto e trancado minha porta outra vez. Kelly arranha o chão sob a casa e nessa noite eu não consigo suportar. Levanto da cama e bato contra a grade de minha janela, para que ela vá embora. Kelly late alto, e eu sento de volta na cama, esperando para ouvir Otto passando por meu quarto e indo até Kelly. Ouço quando ele diz "Qual o problema?", e ela solta um ganido. "Boa menina", fala baixinho e volta para a cama, parando à minha porta, talvez escutando. Eu me viro um pouco na cama, para fazer barulho como se estivesse me mexendo durante o sono. Ouço Kelly rosnar e mordiscar as pulgas em suas costas. Ela se levanta e recomeça a cavar. Saio da cama em silêncio e faço flexões no escuro. Quando meu braço já não suporta meu peso, faço abdominais e finalmente me arrasto para a cama. Conforme pego no sono, um pássaro grita na noite, soando como uma sirene.

15

Na manhã seguinte, quando o vento parou de soprar, a névoa que se formou era a mais densa que eu já vira. Ela ondulava a meus pés, quando abri a porta, como se minha casa fosse uma ilha. Cão correu para fora, quase sem as pernas, flutuando suavemente. No galpão de tosquia, desenterrei a armadilha de raposa que estava lá, ainda fechada, desde que eu me mudara. Coloquei-a no bolso e pensei que provavelmente não a usaria, mas era bom sentir que poderia usar, se quisesse. Tive dúvidas se aquilo faria qualquer coisa contra um animal do tamanho que eu vira ao voltar para casa. Tentei me lembrar do formato da coisa, mas tudo que sobrara em minha memória era o par de olhos amarelos.

Do lado de fora, Lloyd balançava o dedo para Cão. Tomei um susto quando ele gritou "Não!"

Cão sentou a seus pés, com as orelhas baixas e uma pata levantada. Parecia aborrecido.

"O que aconteceu?"

Lloyd me ignorou e falou o nome de Cão de uma forma assustadora. Estava falando daquele jeito que as pessoas usam para falar com bebês, com várias subidas e descidas, então soava como "Cã-ão", olhando o cachorro nos olhos, ao mesmo tempo. Seus pelos se eriçavam a cada vez que Lloyd falava daquele jeito, até que ele não pode mais aguentar e latiu sua ameaça, aquele latido alto que queria dizer *Sai fora*. Nem bem ele latiu, Lloyd gritou "NÃO!" em uma voz grossa, e Cão se curvou, mas com as orelhas se movendo como se estivesse pronto para matar alguém.

"Que porra você está fazendo?", perguntei.

Quando Lloyd me olhou, Cão começou a se esgueirar para longe, através do campo.

"O livro diz que ele deve reconhecer o próprio nome." Abaixou-se e pegou do chão o livro que trouxera do pub. Torci para que ninguém tivesse visto. Leu alto, em uma voz estrondosa, "Seu filhote precisa aprender o próprio nome, imediatamente. Repita seu nome com uma voz suave".

"Cão tem quatro anos, e ele já sabe que é Cão", eu disse. "Você só o está aborrecendo. Ele vai mordê-lo."

Lloyd continuou, "É indispensável que você ensine seu cão a *não* latir enquanto trabalha. Grite 'NÃO!'" com severidade. Se ele não o ouvir, segure-o pelo focinho e diga firmemente NÃO!"

"Ele vai morder você", falei de novo.

Lloyd abanou a mão para mim. "Temos um acordo, agora", disse, procurando Cão, que ainda tentava entrar em casa sem ser notado. "Aqui!", Lloyd gritou com dureza, apontando para os próprios pés, e verdade seja dita, Cão se arrastou de volta até ele. "Viu?", disse Lloyd, se apoiando em um cajado e parecendo muito satisfeito consigo mesmo. "Ele sabe quem é que manda."

Voltei para dentro, preparei a cafeteira e observei pela janela da cozinha. Lloyd recomeçou com aquela fala arrastada e Cão latiu três vezes, então Lloyd gritou NÃO! NÃO! NÃO!, um para cada latido.

As orelhas do cachorro estava coladas à cabeça, suas patas traseiras estiradas e o focinho bem próximo ao chão. "Cã-ão", Lloyd falou, apontando para ele. Cão soltou seis ganidos agudos, balançou o rabo e avançou sobre a cara de Lloyd. Depois do choque, Cão parecia livre de raiva, e trotou alegremente de volta para casa, seu trabalho terminado.

Lloyd estava curvado, as mãos sobre o nariz. Ele procurava por sangue, e devia haver algum porque ele logo largou o cajado e bateu o pé no chão como um moleque mimado. Deixei Cão entrar e dei um biscoito a ele.

Na hora em que Lloyd voltou, tinha o lenço enrolado no rosto e nenhum de nós comentou o assunto. Deu uma olhada para Cão, e Cão fingiu não vê-lo.

"Estou saindo para conferir as ovelhas", eu disse, olhando para o vácuo perto de seu rosto.

"Ótimo", disse, talvez com um pouco de alegria demais. "Vou também."

"Eu avisei você. E, para ser honesta, Cão também avisou." Lloyd se serviu de um pouco de café. Tirou o lenço, para beber.

"Foi mais uma cabeçada do que uma mordida", falou.

Concordei, vendo seu nariz vermelho. "Ele deve gostar de você."

Lloyd me olhou de soslaio, como que tentando descobrir se eu estava tirando sarro dele, e tentei parecer séria.

Enquanto íamos até a porta, Cão capturou um camundongo e o sacudiu enquanto ele guinchava, deixando-o vivo por muito tempo. Por fim, entretanto, ele o despedaçou. Lloyd evitou olhar.

Subimos a colina em silêncio, até o topo. Lloyd respirava com dificuldade atrás de mim. Quando o olhava, eu via seu rosto levemente franzido, seu peso todo apoiado no cajado. Parei e fingi examinar a cerca. Lloyd ofegava.

"Para que serve aquilo?", perguntou, apontando para algumas ameixas secas penduradas na cerca. Coisas do Don.

"Para contar o tempo", respondi.

"Sério?" Ele se curvou para olhar a ameixa mais próxima, seca e achatada como a sola de um sapato. "É como um relógio de sol?"

Olhei para ver se ele estava brincando. Lloyd virou os olhos.

"Elas deixam o solo cheio de grãos", eu disse, mas ou ele não entendeu direito ou não entendeu absolutamente nada, porque continuava a olhar aquilo de vários ângulos diferentes. Continuamos subindo para o topo da colina, e eu peguei uma ameixa velha e dei para ele.

"Pode comer", falei, e ele a mordeu.

"Porra", disse, cuspindo fora.

Gargalhei. "Você não viu *Crocodilo Dundee*?"

Lloyd esfregou a boca várias vezes, com as costas da mão.

"Pare de me sacanear", ele disse.

No alto da colina, sacudi uma lata de ração e vi os rostos surgindo para me examinar. Algumas das ovelhas mais ávidas e grávidas avançaram, as barrigas balançando como redes.

"Preciso levar algumas delas para o barracão", falei. "Você poderia ajudar." Como sempre, uma ou duas se desviavam do caminho quando eu tentava pastorear todas para os currais, e levei um tempo até conseguir trazê-las de volta.

Lloyd ficou parado olhando as ovelhas se aproximarem, sem falar nada. Parecia que ele estava pensando em um jeito de fugir. Amarrei Cão à cerca, para que ele não interferisse.

"Você fica aqui", falei, apontando para um lugar pouco além da porteira, "e impede que elas escapem." Abri o portão para o pasto no alto da colina. "Balance os braços se elas correrem em sua direção. Grite. Essas coisas."

"O que devo gritar?"

Olhei para ele.

"O que você quiser."

Sacudi novamente a comida, e mais algumas levantaram a cabeça para me encarar. Algumas começaram a correr em nossa direção, e outras seguiram.

"Aqui ovelha ovelha ovelha", chamei.

Conforme se aproximavam, eu andava para trás, para que elas me seguissem até o outro pasto. As primeiras quinze, mais ou menos, estavam no campo lá debaixo, e então uma *blueface* grávida de gêmeos olhou para Lloyd. Ele a viu chegando, afastou as pernas e agitou os braços. A ovelha continuou, e Lloyd gritava "Foda-se!" para ela, que se afastou dele e voltou pela colina. Cão se agitava em sua extremidade da corda, como uma enguia.

Fechei a porteira e dei a elas a comida que estivera segurando.

Lloyd desamarrou Cão, que mijou com raiva no poste da cerca e começou a rondar para um lado e para o outro, os pelos eriçados. Lloyd se apoiou pesadamente sobre a cerca.

"Tudo bem?", perguntei, e ele se endireitou. Tentei não sorrir.

"Só consegui pensar naquilo para gritar."

Dei de ombros. "Funcionou."

Lloyd limpou a boca com as costas da mão. Seus olhos brilhavam.

"Bastante revigorante, na verdade", falou.

Andei até a passagem na cerca e me virei para olhar para a casa. Do lado da colina onde vivia Don, eu podia ver o brilho amarelo das lâmpadas elétricas – através de toda janela, mesmo durante o dia, como se ele tentasse dissipar a neblina com elas. Na borda de seu terreno, novamente vi a raposa, carregando consigo um pássaro grande, talvez um faisão, não saberia dizer àquela distância. Ela se empinou, erguendo a presa, saltando e dando voltas. Dei uma olhada em Cão, mas ele tinha o nariz no chão, farejando as coisas que estavam por ali no escuro. Se seus filhotes tivessem feito aquilo, então estariam crescendo rápido, famintos, e os cordeiros logo nasceriam. Vi enquanto a raposa sumia na mata, e ouvi à distância o tinido do rádio de Don, tocando música pop. Apalpei o bolso que guardava a isca de raposa.

"Ei." Uma garota estava sentada sobre a cerca, fumando. "Você é a mulher que está na casa velha de Samson."

"Quem é você?", falei, percebendo de súbito que eu devia estar falando sozinha em voz alta.

A garota soltou uma cachoeira de fumaça que se espalhou por seu rosto. Devia estar irritando seus olhos, mas ela não pareceu se incomodar.

"Sou Marcie. Eu estudei com ele. Conheço você da loja."

"Oh." Ela parecia diferente sem o agasalho verde. Estava completamente maquiada e o cabelo, de um loiro escuro, era liso e escorrido.

Marcie apertou a vista para me olhar. "Isso é propriedade pública, você não pode fazer nada por eu estar aqui." Piscou para mim.

"Não. Mas seria bom se você levasse seu lixo com você, entretanto." Ela não demonstrou reação, além de tirar uma lata aberta do bolso do sobretudo. Bebeu da lata, olhando em meus olhos, como se esperasse que eu fosse ficar chocada com aquilo.

"De todo modo, o que você está fazendo?", perguntou, colocando a lata cuidadosamente de volta no bolso.

"Espalhando iscas de raposa", falei, para ter algo específico e adulto a dizer.

"Isso não é ilegal?"

"Ilegal é caçar raposas."

"Mesma coisa."

"Não é o que a maioria das pessoas pensa."

Ela saiu da passagem sobre a cerca e veio para perto de mim. Cão esticou o focinho para ela, que o tocou.

"Seu cachorro parece bastante arredio."

"Ele é legal."

"Como se chama?"

Brinquei com a ideia de inventar um nome, para evitar perguntas, mas não consegui pensar em nenhum que fosse convincente.

"Cão."

Marcie encolheu os ombros ao ouvir isso.

"Então, o que você tem contra as raposas?"

"Está na época das ninhadas. Você não deveria saber disso, vivendo por aqui?"

Ela assobiou por entre os dentes. "Eu me mantenho longe disso. Vou para longe daqui assim que puder, aliás." Segurou o cabelo em um rabo de cavalo alto, com as mãos. "Quero ir para Londres. Ou Sheffield."

"As cidades podem ser uns lugares de merda também."

Deu de ombros e soltou os cabelos novamente sobre os ombros. "Pelo menos elas não são um tédio."

"Acho que não."

"Então elas comem os cordeiros?"

"Quê?"

"As raposas."

"Sim. Eu já vi você antes."

Marcie não parecia surpresa nem intrigada. "Eu disse – conheço você da loja. Além do mais, todo mundo aqui se conhece, pelo menos de vista."

"Na Military Road. Vi você lá, antes. Seu amigo mostrou a bunda para mim."

"Ele mostra para todo mundo."

"Não foi muito simpático."

"Reclame com ele", falou, e tirou do bolso um maço de cigarros. Pegou dois. "Fuma?"

Olhei para ela por um momento. "Obrigada." Não sabia se ela esperava que eu pegasse um, mas novamente não houve reação. Ela passou um isqueiro para mim, fiz uma proteção com as mãos para acender o cigarro, depois devolvi a ela.

"Você é mais jovem que todo mundo", falou.

"Como assim?"

"Todo mundo que tem uma fazenda. E você é mulher."

"Sou", respondi, e soprei fumaça. Pela primeira vez ela ergueu as sobrancelhas, mas ao mesmo tempo fechou os olhos, então aquilo talvez não fosse surpresa, mas algo diferente. Desgosto, talvez.

"Aquele homem com quem você está andando é seu namorado?"

Franzi a testa. "Você andou me espionando?"

Ela encolheu os ombros novamente.

"Ele só está de passagem. Não o conheço de verdade."

"Você simplesmente deixa gente que não conhece ficar na sua casa? Bom, isso deve deixar as coisas menos monótonas. Você sabe que ele anda fazendo umas coisas engraçadas por aí."

"Que tipo de coisa engraçada?"

Deu de ombros outra vez. "Canta bastante para o cachorro."

Ambas olhamos para Cão, que abanou o rabo devagar e depois olhou para a colina, como se estivesse pensando em alguma outra coisa.

"Ele é um homem estranho", falei.

Marcie sorriu, e sorri de volta. Eu teria gostado dela, se tivesse sua idade.

"Você não deveria estar na escola?"

Ela agiu como se não tivesse me escutado. "Então, essa vendeta contra as raposas – como é que existem tantas, se você coloca tanto veneno para elas?"

"Eu não costumo colocar."

"E por que coloca agora?"

"Alguma coisa tem matado minhas ovelhas."

"Tem?"

"Tem. Na verdade, pensei que pudesse ter algo a ver com a sua turma."

Os olhos de Marcie ficaram apertados, mas novamente ela não deu atenção ao que eu dissera. "Tem esse primo meu, Wesley, por parte da minha mãe – ele está no continente, mas no norte, bem no norte – e ele acabou de se dar mal por ter mexido com cavalos."

"Mexido como?"

"Ué – tenho que desenhar? Ele trepou com um cavalo", ela falou, e ficamos em silêncio. Então ela deu uma risadinha, e eu sorri.

"Não se preocupe em ter que desenhar para mim, no futuro."

Ela tirou a lata do bolso e tomou um gole. Era uma cerveja superforte. Depois de uma pausa, ofereceu a mim. Balancei a cabeça.

"Você não é muito nova para beber?"

Jogou o cabelo para o lado. "Alguma coisa?"

"Como?"

"Você não disse que raposas mataram suas ovelhas – disse que alguma coisa tem matado. Então você não acha mesmo que sejam raposas?"

"Não sei." Usei o cigarro para parar a conversa. Soprei a fumaça, que desapareceu contra o céu branco. "Você já viu... alguma coisa?", falei. "Quero dizer, parece que você está por aí o tempo todo."

Marcie sorriu. "Nós vemos tudo", falou, como se ela pensasse ser uma bruxa adolescente. "Já vi coisas que você nem imagina." Olhou para longe, o sorriso sumindo um pouco. "Mas, na maioria das vezes, é só o pessoal transando."

"Alguma coisa que possa estar matando as ovelhas? Alguém?"

"Oh!", disse, em voz alta. "Tem um urso grande para caralho, ou algo assim, de quem Samson estava falando."

"Um urso?"

"Não um urso – um gato bem grande ou um cachorro grande ou algo assim. Uma fera. Mas Samson só fala merda. Ele é um pouco... retardado, se posso dizer assim. Deficiente mental? Não sei. Não é tão ruim quanto nas vezes em que meu pai diz 'de cor'."

"O que ele diz?"

"Disse que não quer nenhuma pessoa de cor chegando perto, não porque ele seja racista, mas porque a casa vai ficar desvalorizada."

"O que Samson disse sobre a fera?"

"Oh, eu não sei – pode ser que tenha só pés grandes ou dentes ou algo do gênero. Acho que ele está inventando histórias. Ele gosta de contar histórias. Às vezes ele acampa no bosque e acha que algo está sobre sua barraca, à noite, e quando aponta a lanterna ele vê aquela coisa com olhos de gato. Eu disse a ele que é só a maconha." Olhou para mim ao dizer "maconha".

Observamos a chuva começar do outro lado do vale. Marcie atirou o cigarro no chão e o enfiou na lama com o calcanhar.

16

Dirigimos por um velho portão de madeira descamada, até a casa da fazenda. Viro-me para olhar em todas as direções, mas não há nada para ver – algumas grandes colinas escuras à distância, pano de fundo para o deserto. Consigo ver moscas no ar, e meu braço do lado da janela está queimado de sol.

"Bom, aqui estamos, então!" Otto diz alegremente, e sou capaz de dizer que ele está animado para me mostrar o lugar. Uma cachorra velha, bem mais velha que na fotografia que ele me mostrara em sua carteira, caminha com dificuldade para perto de nós.

"Essa deve ser Kelly", falo em uma voz que imagino ser agradável a um cachorro. Ela me olha vagamente, com seus olhos anuviados. Tem um focinho cinzento e os lados do corpo cheios de pele ressecada. *Pobre velhinha*, penso.

"Kelly, esta é Jake", Otto fala, e me agacho para fazer amizade, mas ela se mantém distante. Apenas me olha como se eu não estivesse ali, virando-se para voltar para trás da casa, as orelhas coladas à cabeça para evitar moscas. "Ela fica esquisita quando saio sem ela", explica.

Fazemos um pequeno tour. "Como eu disse, a gente é bastante autossuficiente aqui", Otto fala, e me pergunto se deve haver alguma zona mais verde atrás da casa, para plantar. Há um curral horrível próximo à casa, mas está todo seco e malcuidado. "Nós abatemos nossas próprias ovelhas, então realmente precisamos comprar só o básico, mais ou menos duas vezes por mês. Pão, ovos, cerveja. Tentei algumas galinhas, mas elas não duram muito – Kelly não lida muito bem com elas." Penso se "nós" quer dizer que há mais alguém por perto ou se ele está se referindo à cachorra. Não há espaço verde atrás da casa, apenas a latrina e, para além dela, o resto das coisas. O poço secou por causa da estiagem, ele conta, e não parece certo falar mais nada sobre isso. A casa é feita de tábuas irregulares. É pequena, do tipo que você vê sendo levada para um lado e para o outro através das rodovias, à reboque nos caminhões.

Otto me mostra um quarto estranho, com um pôster do Ursinho Puff na parede e uma cama de solteiro, estreita, sobre a qual há uma coberta com a estampa de pônei desbotada. A pintura do quarto é de um pálido manjar-branco e há uma janela minúscula, sem vidro, mas com um mosqueteiro pregado sobre ela. O cheiro é de purificador de ar.

"Eu mesmo que fiz", Otto fala com orgulho.

Começo a ficar nervosa tão logo o sol se põe. Otto faz sanduíches de bacon para o jantar, que tem cheiro e gosto de outras carnes. Não sei qual é o plano, o que ele espera de mim. "Você gosta de *Shortland Street?*", pergunta, enquanto dá um tapinha no assento ao seu lado no sofá. Sento-me e ele coloca a mão sobre minha nuca, de um jeito que posso sentir o odor de seu braço.

"Nunca vi", respondo, e ele me olha como se eu estivesse dizendo que nunca vi o mar. A música tema começa, e Otto olha intensamente para mim enquanto canta junto.

É você ou sou eu?
Parece que andei perdido.
Uma mudança é o que preciso.
Se estou querendo alguma chance, tenho um sonho.
Shortland Street...

Seus olhos se enchem d'água e ele segura a última nota tempo o suficiente para a televisão chegar ao segundo verso antes que ele tenha terminado. Balança a cabeça. "É tão linda", diz, "essa música. Simplesmente linda." E pela meia hora seguinte nós assistimos ao vai e vem de um hospital. Kelly está sentada lá fora, olhando para mim através da porta de tela.

Assim que o programa acaba, Otto se alonga e diz "Certo, ce-er-to, hora de ir para a cama", e penso *Lá vamos nós, isso vai deixar as coisas mais claras.* Ele me leva até o quarto rosa e senta na beira da cama, falando sobre o que vamos fazer amanhã.

"Vou levar você até a cidade, para que conheça o mercado, depois vou mostrar as ovelhas. Kelly precisa de remédio para carrapato, então me lembre disso." Não sei qual o protocolo correto, então visto a camiseta que uso para dormir enquanto ele fala. Não viro de costas quando tiro a blusa, mas ele simplesmente continua a falar, então eu me sento perto dele na cama e fico ouvindo sobre as ovelhas. "As ovelhas de feira da ex-mulher – merinos, ela insistiu, mesmo depois que eu disse que aqui era muito seco, que elas não iam dar conta. Mas ela insistiu e insistiu, e depois que dei a ela, acabou o interesse. Desgraça cara, além de tudo. E aí, bom, ela me deixou, e acabei usando as ovelhas para carne. Eu disse a ela, foi a primeira coisa que eu disse, aquele tipo de ovelha não é bom para cá, onde não tem grama – a gente precisa de ovelhas de deserto, do tipo resistente. Mas ela não me ouvia, que nem aquele cachorrinho fresco que ela trouxe junto. Kelly e eu fomos claros com relação àquele cachorro, nós avisamos. Uma fazendeira não pode ficar com uma porra de pequinês. Provavelmente uma serpente o pegou, arrastou para baixo da casa, engoliu de uma vez só."

Ele ri e seu estômago sacode. Sorrio para ele, esperando que seja uma piada, e deslizo para baixo dos lençóis, novos e enrugados. Otto para de falar e olha para mim. Suspira e passa sua mãozona velha em minha bochecha. "Deus, eu sempre quis uma filha." Sorri e seus olhos se enchem de lágrimas, e ele corre um dedo por eles antes de se recompor. "Espere um segundo", fala, antes de desaparecer para fora do quarto. Quando volta, traz consigo um ursinho de pelúcia marrom, com um coração de veludo, e uma câmera descartável. "Para você", diz, com aquele mesmo olhar sentimental de antes. Pego o urso e sorrio.

"Obrigada, ele é muito legal." Coloco o urso no meu colo. Otto dá alguns passos para trás e aponta a câmera. Sorrio, abraçando o urso. Ele gasta todo o filme da câmera só comigo e com aquele ursinho.

"Tenha bons sonhos, querida", diz e me dá um beijo na testa. Sorrio de volta para ele, que suspira outra vez do batente da porta, olhando para mim com aqueles olhos úmidos antes de apagar a luz e fechar a porta. A janela lança uma luz xadrez sobre o pôster do Ursinho Puff.

De manhã, como a paisagem é bem plana, consigo ver que as ovelhas, bem longe, foram reunidas.

"Você pode usar a bicicleta até que aprenda a dirigir – tem um caminhão a mais no galpão, que eu venho consertando, e ele vai ficar para você quando souber dirigir." Otto me dá um soquinho no braço, como se fosse um tio brincalhão. Sorrio com essa ideia – ter um caminhão. Eu poderia buscar Karen e trazê-la aqui, assim que o poço estivesse cheio novamente.

Dirigimos até o rebanho. Conforme nos aproximamos, posso ver quão doentes elas parecem – tufos de lã faltando, as costelas à mostra. Há um cheiro de merda e você consegue ver os vermes comendo suas patas traseiras. Força, falo para mim mesma, ele é um cara velho, está fazendo o melhor que pode.

As moscas são furiosas, tentam até entrar nos nossos olhos, e eu respiro com os dentes cerrados para não engolir nenhuma.

Otto mostra, no curral, como pegar uma ovelha e segurá-la contra o chão, e posso ver que ele fica satisfeito quando eu consigo segurar uma delas e virá-la de costas, sem muita dificuldade. Posso sentir seu coração bater através de mim, e ela cheira mal. Otto está de pé, com as mãos na cintura.

"Sabia que tinha escolhido uma das boas pelo seu tamanho", diz e me dá um tapa na coxa.

Ele mantém as ovelhas reunidas perto do galpão da lã, que às vezes também serve, como me mostra, como abatedouro. "Não posso deixar que elas fiquem perambulando por aí quando estou sozinho aqui", ele fala. "Não gosto de trazer estranhos para a tosquia – foi assim que as coisas começaram a ficar ruins com Carole." Há uma pausa desconfortável, e olho para o sangue velho que se tornou uma mancha seca e escura no chão sob o gancho de carne. O lugar tem cheiro de urina de animal e alvejante. "E assim elas não sabem se vão ganhar um corte de cabelo ou um corte na garganta, não é reconfortante?" Tento fazer com que pareça que eu concordo com ele.

Faço uma tremenda bagunça na cozinha, o ar tomado pela fumaça da gordura da carne. Quando está pronto, Otto come aos bocados, dizendo que está muito bom, mesmo que eu só tenha conseguido fazer direito os ovos mexidos, que se desfazem, e mesmo que a panela em que os fiz precise ficar de molho por três dias antes da crosta começar a soltar. As salsichas estão rosas no meio, os nacos de carne são gordurosos, algo surpreendente se pensarmos no tipo de ovelha de onde saíram. Como pouco, mas Otto devora o prato.

À noite, ele aparece quando estou no chuveiro, e entro em pânico. Sempre dei um jeito de colocar a camiseta antes. Ele entra no chuveiro comigo, a barriga sem pelos roçando em mim e o pau balançando naquele estado intermediário, como se a ponta estivesse amarrada a um fio. Tento fazer com que se ocupe de meus peitos. Agito-os, mas ele está menos interessado do que eu esperava – eu nunca fui do tipo peituda. Ele quer esfregar minhas costas, fazer todo o tipo de coisas que eu imagino alguém querer fazer quando se importa com alguém. Penso que preferiria uma facada certeira no fundo da garganta, porque conforme ele coloca os braços à minha volta e desliza as mãos pelas minhas costelas, por minha espinha, sua respiração para quando os dedos chegam à base das costas. Ele não diz nada, e eu não o impeço de me virar para olhar de frente. Com a ponta dos dedos, contorna as marcas de minhas cicatrizes e diz "meu Deus, meu Deus. Por que eu não sabia disso antes?" Imagino se ele vai me jogar de volta em Port Hedland e procurar uma garota menos destruída para cozinhar sua comida e dividir seu chuveiro.

"Foi um cliente?", pergunta, e faço que sim, deixando a mentira se instalar imediatamente. Foi o loiro com cabelo descolorido, com o saco depilado, que quis colocar as meias sujas na minha boca. Gozou na minha cara e sobre as meias. Então ele tirou as meias da minha boca, colocou nos pés e enfiou os pés em suas sandálias, indo embora. Digo isso, mas em vez de meias, ele havia desafivelado o cinto – na verdade, não era o tipo que usava cintos, preferia que todo mundo pudesse ver o começo de suas partes depiladas. Conto essa história a Otto enquanto ele senta no tampo da privada, enrolado em uma toalha amarela, e me debruço sobre a pia, percebendo quão solta ela está da parede.

Otto enxuga as lágrimas. "Vocês, meninas", diz, "que vida difícil vocês têm." Ele faz um gesto para que eu me aproxime e deite a cabeça sobre seu colo, ajoelhada no tapete do banheiro, e soluça sobre mim enquanto repenso os detalhes de minha mentira, arquivo-a na memória e tranco a porta. Devagar, Otto afasta a toalha amarela, e é desse modo que acabo por chupá-lo enquanto ele está sentado na privada.

Do lado da casa há um curral com uma estranha grama alta. Estranha por causa das coisas encobertas por ela, que despontam no ar – bicicletas sem rodas, ferramentas da cor da terra, de tão enferrujadas. De vez em quando, se você passa por ali a caminho da casinha, pode ver um crânio de ovelha no meio das latas e motosserras quebradas. Às vezes parece que há um tigre ali, que pode me ver, mas a quem não enxergo. Se fico parada olhando por muito tempo, Kelly acaba por se levantar como quem pergunta *Está parada aí por quê? E não venha me desafiar, achando que eu não vou latir.*

Kelly não gosta de mim. Ela não é como um cachorro de verdade; é mais desaprovadora que um cachorro. Parece ver as coisas de um jeito diferente da maioria dos cachorros – ela não gosta de tapinhas na cabeça, não aceita comida da minha mão. Uma vez, ofereço a carne do meu sanduíche para ela, que fica parada me encarando até que eu me sinta desconfortável e a coloque de volta no pão. Outra vez, distraída enquanto Otto fala sobre o jeito que gosta de manter a casa, eu me curvo para fazer carinho em suas orelhas e ela morde minha mão, rasgando a pele do meu dedinho. Otto franze o rosto. "Ela não gosta disso", diz. Ela me olha de um jeito que reconheço, mas não como um cachorro.

Não vi nenhum telefone na casa, e pergunto a Otto sobre isso.

"Telefone? Para quem a gente ligaria? Os Caça-Fantasmas?", e ri. Essa é uma coisa que estou aprendendo – ele gosta de rir das próprias piadas.

Até meados da quinta semana, Otto não quis transar muito mais que uma dúzia de vezes. Ele é só um velho gentil e solitário. Só tem esses desejos de um jeito normal. Vamos de carro até a cidade para comprar mantimentos, na loja que tem de tudo – comida e ferragens e móveis e rações e veneno de rato e bebidas. Minhas mãos suam. Otto me deu cem dólares para gastar na mercearia, e não sei o que fazer com tanto dinheiro. Pego uma lata de creme, o mesmo tipo que mamãe colocava boiando em seus daiquiris. Chamava aquilo de salva-vidas da bebida. Deixo a lata no lugar, com cuidado, e me afasto dali. Lembro do que Otto disse sobre a comida de Carole, e procuro ovos, pão e algum queijo. Ele não tem uma frigideira funda, então não compro os sacos grandes de batata congelada nem, mesmo que queira, os anéis de lula empanados. De presente, ele compra para mim um xampu rosa com a imagem de um cavalo. No caixa, dou um beijinho em sua bochecha e ele congela. "Você é minha sobrinha. Lembre-se disso." Olho de relance para a moça do caixa, que rapidamente baixa os olhos para as compras.

Eu me pergunto como essas ovelhas ainda estão vivas, quanto tempo têm estado encurraladas tão perto de seu abatedouro. Desde que Carole foi embora? Não sei há quanto tempo foi isso.

O curral é feito com barreiras frágeis de metal, que podem ser conectadas umas às outras ou movidas individualmente. As divisórias não são pesadas e as ovelhas, se quisessem, provavelmente conseguiriam quebrá-las, mas elas não costumam fazer muita coisa além de transferir o peso do corpo das patas traseiras para os ombros, olhando o horizonte enquanto as moscas comem suas costas.

O chão do cercado está coberto por estrume e só a alguns metros à esquerda do curral é possível ver alguma grama. Começo a mexer no cercado, painel por painel, expandindo-o um pouco, colocando o rebanho mais perto da grama. Quando elas ficam no meio do caminho, agito os braços para afugentá-las. Elas não se incomodam o suficiente para ficarem assustadas, mas seguem mais ou menos para onde eu quero. Movem-se com o peso dos fantasmas, e noto que algumas estão apoiadas sobre as patas da frente curvadas, como se não tivessem a força necessária para ficar de pé. Demoro duas horas nisso, e nesse tempo Otto e Kelly chegam dirigindo para ver o que andei fazendo por tanto tempo.

Otto franze a sobrancelha, a princípio, mas depois dá de ombros. "Pode ser que tenha alguma carne nelas, imagino", e dirige de volta para a casa enquanto Kelly observa na traseira do carro.

As moscas pousam no canto de meus olhos, rastejam por todo meu ombro, e deixo que rastejem. Não sei exatamente o que esperava, se ver as ovelhas dançando graciosas sobre a graminha que eu encontrara para elas, mas estão apenas paradas lá, um grupelho silencioso. Tento fazê-las se mexer, mas elas não têm medo de mim. Resignadas, eis o que estão, e eu digo "Podem andar um pouco, se quiserem", agitando os braços e saltitando, mas elas apenas oscilam um pouco no ar modorrento. Olho para o galpão, vejo o gancho de carne e passo o peso do corpo para o outro pé. "Parece justo", falo e me viro para voltar à casa, colocando as ovelhas em um canto esquecido da minha mente, com aquelas outras coisas que só aparecem no escuro, quando minha guarda está baixa, e eu encaro a noite pela grade da janela.

Há uma fotografia preta e branca na parede da sala de tevê, e Otto me pega olhando para ela. É ele, com os cabelos negros e em boa forma, segurando uma espécie de troféu.

"Golden Shears,[1] 1962", fala. Ao lado dele, uma mulher com calças de cintura alta e um penteado antiquado entrega-lhe o troféu, um par de tesouras soldado sobre um pedestal. "Essa é Candy Mulligan – era a garota do tempo na ABC. Tinha uma queda por mim."

Olho para o homem na foto, com o rosto enrugado de sol e as costas retas. Seu cabelo escuro desponta sob o chapéu.

Ele aumenta o volume da TV. "Ah – meu programa", ele diz.

Otto me dá uma aula de direção. Leva-me para onde não há nada que eu possa atropelar e deixa que eu faça zerinhos na terra. Quando atolamos ou quando faço o caminhão

---

1   Prêmio de tosquia, iniciado na Nova Zelândia em 1961.

trepidar por estar devagar demais, ele ri, mas nunca me senti tão capaz, e penso no conserto do outro caminhão, e em quando vou poder disparar pela estrada de terra e pegar o asfalto. Se você tem rodas, percebo, é livre.

Depois da aula, Otto me mostra o que está fazendo com o outro caminhão. O capô está levantado e lá dentro há um outro mundo de cilindros e cabos.

"Está vendo isso?", ele diz, batendo em uma caixa preta com a palma da mão. "Algumas conexões frouxas, aposto, nada grave." Ele cora um pouco e desvia o olhar. "Eu queria estar com ele pronto para quando você chegasse, mas minhas mãos já são um lixo." Coloquei a mão sobre o ombro de Otto e sorri.

Mais tarde, no mesmo dia, estou na varanda fumando um Holiday e Kelly late para mim como se realmente quisesse me atacar. Otto se aproxima, parecendo desconfortável.

"Nada de fumar aqui, menina, isso irrita a cachorra. Faz com que lembre de Carole – as duas não se davam bem." Sopro e olho a ponta do cigarro. Sinto-me mal e envergonhada, como se voltasse a ser criança.

"Certo", falo, "é o último." Tudo bem, eu penso, só vou precisar fazer isso quando estiver sozinha, mas ele se aproxima e tira o cigarro da minha mão, jogando-o com a ponta acesa direto na sua caneca de chá. Então, estende a mão.

"E o resto."

"Esse era o último", respondo, contando quantos maços ainda tenho dos que Karen me deu do duty-free. Acho que há dois maços e meio, mas se eu puder juntar cinquenta centavos de vez em quando, não vai ser difícil conseguir um maço escondida, então não é nada muito duro.

"Hum", Otto franze o rosto. "Faz mal para a saúde."

Otto toma uma cerveja cedo e pega no sono na frente da novela da tarde – ele pode assistir à reprise da noite, então não é nenhuma tragédia. Como a casa está muito quente, deixo um bilhete e saio de bicicleta. Kelly levanta a cabeça quando pedalo pela trilha que vai até as ovelhas, mas não late nem acorda Otto.

Encho os bebedouros com água fresca e espalho um pouco de comida pelo lugar. Elas não estão muito interessadas, mas quem pode culpá-las? Praticamente não há sombra, e as ovelhas com a cara mais pálida devem estar com pústulas de câncer de pele. Na maior parte das vezes, elas se aglomeram junto à parede do galpão, onde o telhado dá alguma proteção contra o sol. As moscas enxameiam de novo, em nuvens, enfiando-se pelos olhos e rabos das ovelhas. Tento borrifar o rebanho, mas não sei dizer se ajuda ou se elas gostam, apenas ficam paradas ali, de pé. Se eu pudesse pegar um par de varas de madeira, poderia estender uma lona e criar um pouco de sombra para elas. O homem de chapéu preto na foto da parede de Otto não reclamaria. Talvez tenham sido apenas suas mãos estragadas que o impediram de continuar cuidando das ovelhas, talvez ele só precise de mais ajuda. Pego a bicicleta e pedalo de volta para a casa, devagar, pensando.

Lá dentro, meus últimos maços de Holiday estão sobre a mesa da frente.

"Olha, eu não estou irritado", Otto fala, "porque sei que isso é um vício. Mas o que estamos fazendo hoje é tomar uma posição contra isso."

Consigo me conter bem a tempo de não gritar quando falo "Você mexeu nas minhas coisas?"

"Suas coisas, senhorita, estão na minha casa." Ele fala com certa dureza, como se pensasse ser meu pai, e isso faz meu coração disparar. Penso que vou chorar.

"Venha aqui perto de mim, menina."

Kelly está empertigada sobre a terra, esperando alguma coisa. Otto pega o primeiro maço e o arremessa para ela, fora da varanda. A cachorra se atira sobre aquilo como se estivesse vivo, rosnando, a boca aberta deixando ver sua goela, baba escorrendo por todo o papel.

Ela destroça tudo, sacudindo o maço, jogando cigarros para todos os lados, se atirando sobre eles quando já estão na terra. Otto joga o maço seguinte, e Kelly não perde o foco.

"Agora", Otto fala, quando tudo termina e estou parada em silêncio a seu lado, agarrada à madeira da varanda. Ele me entrega uma pá e uma vassoura. "Vá limpar toda essa bagunça, jogue na lixeira e não falamos mais sobre isso."

Kelly não rosna para mim enquanto varro, mas me olha, e tenho vontade de chutar bem forte entre suas costelas.

Vou para meu quarto e sento na beirada da cama, com uma sensação estranha embolando meu estômago. Olho para minha mochila, que não pensei em desfazer desde que cheguei.

Otto está alegre e animado, e temos um dia cheio porque é hora de me ensinar a tosquiar.

"Estive pensando sobre o que você fez no curral, dando mais espaço pras ovelhas – vai ver que é bom pra elas – já não parecem tão bichadas. Se a gente pudesse colocar essas garotas em uma fazenda mais aceitável, talvez desse pra cruzar algumas delas e colocar as coisas de novo nos trilhos. Com a lã já não conseguimos mais nada, mas se pudéssemos manter a carne no mercado", ele fala, cheio de si, tagarelando. Estou cansada, e ele parece magoado.

No galpão, Otto me entrega uma tosquiadeira que não parece muito diferente das tesouras que mamãe usava para cortar o cabelo dos trigêmeos. Ele me mostra como usá-la, e Kelly fareja pelo lugar, particularmente nas manchas negras sob o gancho de carne.

"Arrume uma ovelha." Olho para ele, um pouco sem expressão. "Vai, não é para me tosar!", o que ele parece achar uma piada hilária, dobrando-se de tanto rir. Vou buscar uma ovelha e a agarro pelo quadril. Ela não se debate, mas também não se mexe, e é difícil convencê-la a subir a rampa até o galpão. Ela deve estar imaginando que pedaço seu vai ser cortado, mas eu a carrego até lá, e Otto me mostra como posicioná-la para começar. Quando ela está presa sobre a bancada, uma delicadeza estranha aparece nele, posso ver em seu rosto. É como ele me olha quando trepamos.

"Você não vai querer que ela sente sobre o rabo", diz, "porque é desconfortável", e ele mostra como fazer – quando corta sua garganta posso ver os olhos ariscos dela e tenho vontade de dizer *"É só a lã."* Ele me entrega a tosquiadeira. "Em alguns lugares você pendura a ovelha em uma correia, o que poupa suas costas. Mas se você usá-la, nunca vai ficar forte, então é melhor se acostumar com a dor." E eu sinto dor quando a ovelha começa a se mexer e contorcer, e eu tenho que segurá-la quieta. Penso que vou morrer de dor, depois. Porque é importante, porque se ela não estiver quieta eu vou acabar cortando sua pele, e ela está virando o olhos para mim como se eu fosse cortar sua garganta, e quero que ela saia dali pensando *Nem foi tão ruim.* Dou conta, com um pouco de ajuda de Otto, que depois inspeciona meu trabalho.

"Precisa ir mais fundo, menina – não está perto da pele o suficiente, desperdiçando toda essa boa lã, que é o que deixa tudo junto. Você tem que descascar como se fosse uma laranja – até o bagaço." Então, na segunda tentativa, corto a ovelha e é terrível. Quando vejo o sangue, solto o bicho, não acredito que a prendi e machuquei, e ela não me deixou saber. É horrível, horrível, não quero nunca mais tentar isso, não posso, e Otto olha surpreso quando choro, mas ri bem intencionado. "Jesus Cristo, menina, você pode parecer um homem, mas não é um, né?" Eu nunca o odiei antes, mas odeio quando me passa a tesoura outra vez e diz "Vamos, é para isso que você está aqui", como se aquilo fosse verdade, e ele me faz pegar a mesma ovelha assustada e ensanguentada e terminar o trabalho. "Aqui", diz, aproximando-se por trás e colocando os braços em volta de mim para prender a ovelha, "sinta-a enrolada em você", e encaixo o animal no espaço entre meus seios e a cintura, de algum modo, e ela se sente protegida, segura. "Agora", continua, erguendo a mão, "respire."

Tiro sangue delas mais duas vezes, e então encontro o ângulo certo, entendo como fazer, e *é* como tirar a casca de uma laranja ou, mais exatamente, descascar uma mexerica, quando a casca é grossa e o bagaço fica grudado. Há uma satisfação nisso, e quando eu faço direito a ovelha não se contorce ou grita, apenas deita ali e deixa que eu continue.

Esguicho água para espantar as moscas e passo a língua rapidamente nas gotas que escorrem por meu rosto. Debruço-me sobre a cerca por um tempo, olhando para longe da casa de Otto, observando a miragem, e me deixo acreditar que ela é o mar, que o deserto termina em uma descida suave até a beira da água, que esconde minha casa e minha gente vivendo lá. Um coelho se mexe na miragem, e ela some. Um *whistler* voa rondando o lugar.

Estou fazendo a limpeza, o que é importante por causa de todas as varejeiras. A quantidade de merda e carrapatos que tirei das ovelhas é nojenta, e varrer os chumaços gigantes de lã estragada para fora do galpão é reconfortante. Depois, borrifo mais água sobre mim. Coloco o dedão sobre o borrifador para tentar um esguicho mais forte, e jogo água sobre a mancha escura debaixo do gancho de carne. A pressão não é muito forte, e acaba não fazendo muita diferença. A água escorre sobre as bancadas e pelos cantos do barracão, onde a comida fica estocada em grandes barris de plástico. Confiro atrás dos barris se não há nada que não possa molhar e encontro um brinco. É um coraçãozinho dourado com um pingente de opala. Fica na palma de minha mão como um besouro morto. Meu cabelo seca antes que eu chegue em casa, e no espelho do banheiro, vejo que o sol agiu em mim, deixando-me rosa e bronzeada, e olho os novos músculos inchados em meus braços.

Mais tarde, de volta ao galpão, recolho os velos e procuro alguma corda com que amarrá-los. Quando Otto chega com o caminhão, e eu mostro o que fiz, ele ri.

"Muito impressionante, menina, mas ninguém quer merda ou carrapatos nos tapetes. Talvez na próxima tosquia tenhamos algo melhor."

Colocamos tudo no caminhão mesmo assim, e quando dirigimos de volta à casa, eu ajudo a descarregar tudo para o curral. "Tudo adubo bom", diz, mas não sei se acredito nele. Kelly está sentada, e quando terminamos de descarregar o caminhão ela vai até lá para conferir, voltando com lã na boca e uma tosse seca, por ter comido pelo.

Penso no brinco naquela noite, quando Otto vem e se debruça sobre mim na cama. Penso no canivete pequeno que ele me tirou, mesmo que nem pudesse causar dano a ninguém, e em como ele nunca mencionou isso para mim.

Depois, enquanto estamos deitados e ele se recompõe, belisca meus bíceps para testá-los.

"Está ficando forte, menina. Eu gosto de um corpo útil. Só não vá ficar muito macho." Ele ri como se tivesse contado uma piada.

Posso ouvir suas entranhas roncando porque faz bastante tempo desde que comeu. "Há quanto tempo Carole foi embora?", pergunto.

Ele me olha com certa irritação. "E para que você quer saber disso?"

Passo a mão sobre seu peito e me viro, tentando parecer graciosa, mas é difícil para mim. "Só fiquei pensando por quanto tempo você teve que lidar com tudo sozinho por aqui. Não foi solitário?" E ele se acalma, fechando os olhos, deixando a cabeça recostar e relaxando depois dos esforços que fez.

"Ela foi embora provavelmente um ano antes de você chegar."

Eu quero perguntar mais coisas, mas não sei como continuar a conversa. Quero saber como ela era, sua altura; o tipo de mulher que usa brincos em uma fazenda de ovelhas – que tipo de mulher é esse?

"Não precisa se preocupar com Carole", ele fala e solta o ar pelas narinas, alto porque estão congestionadas. "Era uma puta. Não que nem você. Você é uma garotinha em pele de puta. Ela era o contrário."

Há um pequeno aparelho de som na sala de tevê, e os CDs são quase todos coisas como Slim Dusty e *Tales from the Mallee*, para os quais não dou atenção, mas entre eles há INXS e Cole Porter, e eu reconheço esses dois nomes. Ponho Cole Porter para tocar, e Otto entra na casa. "Claro que Carole gostava de dançar", fala. Imagino que aquilo queira dizer que devo desligar o som, mas ele dá uns passinhos e pega minha mão com a ponta dos dedos, girando-me duas vezes e terminando em um floreio, curvando-me como se ele fosse um cavalheiro. Kelly está latindo furiosamente na entrada, e pela porta de tela, noto seus olhos sobre mim. *Venci essa rodada, madre superiora.*

Penso na primeira vez em que cheguei a Port Hedland, na hospedagem-pizzaria onde ficava por dez dólares, em como a dona do lugar nos chamava de vagabundas desempregadas, dando má fama ao lugar. Mas ela nos deixava ficar lá por dez dólares, contanto que não usássemos as toalhas, o que não fazíamos mesmo porque elas sempre fediam a fumaça e às vezes tinham uma trilha de alguma coisa borrada nelas.

Eu sinto esperança aqui. Mesmo nos momentos em que fico de olho no céu, procurando por aviões, penso que não tenho do que reclamar, porque já foi pior, muito pior, e nós dois rimos naquela noite, e bebemos uma cerveja, e Kelly ficou lá fora, sentada na terra e abocanhando suas moscas. Tenho um último Holiday no maço escondido dentro do bolso do meu jeans, junto a uma caixinha de fósforos. Deixo-o escondido e penso nele constantemente, esperando pelo momento em que ele seja mais necessário. Isso faz com que eu me sinta melhor, saber que ele está lá.

17

A cerca do gramado de Don fora decorada com mais ameixas secas, algumas balançando ao vento, algumas poucas ainda úmidas o suficiente para atrair moscas.

"Ora", ele disse, "saiu da concha. Você parece melhor. Dormiu bem? Eu ia passar na sua casa hoje mais tarde, na verdade – a infeliz da mulher da peixaria continua me dando peixes. Odeio isso – esse tipo de lixo que vocês comem. Fica me bajulando, a imbecil, e não consegue parar de me dar esse peixe fedorento." Sorriu para mim. "Ouvi dizer que você foi ao pub na outra semana, com seu novo queridinho."

"Samson veio me ver uma noite dessas", falei, e o rosto de Don ficou mais sério.

"Ele fez alguma coisa?"

"Não. Na verdade, não."

"Entre aqui. Entre que eu vou fazer um café."

A cozinha de Don era deplorável e cromada, de um jeito que me fazia pensar em hospitais. Ele ligou a chaleira elétrica e me fez olhar a luzinha na lateral passar de azul para roxa, e daí para vermelho vivo.

"Já viu uma dessas antes?", perguntou.

"Não, nunca."

"Ganhei do nada – veio com a cozinha", disse e colocou um sachê de café instantâneo em cada caneca. Colocou água e mexeu. Era o tipo de café que já vinha com leite – tinha uma aparência acinzentada. "Viu isso antes?", quis saber.

"Não", falei. "É legal, não é?"

"É", falou Don, olhando com orgulho para sua caneca. "É, é sim. Chamam isso de instanccino."

Sorvemos o café e balancei a cabeça, apreciativa. "É bom", falei. Não era bom. Mas Don parecia estar feliz, e ofereceu um adoçante de uma lata que os deixava cair ao apertar de um botão. Peguei dois, por educação, e ele acenou com a cabeça outra vez.

"Margaret daria um chilique."

Sorri. A sala estava tomada pelo aroma de nossos instanccinos.

Don suspirou e disse "Aposto que você não sabia que Margaret tinha só quarenta e três anos quando morreu". Tinha no rosto a expressão de quem vencia uma caça ao tesouro.

"Eu não sei nada sobre ela", falei, embora eu sempre tivesse pensado nela como tendo a idade de Don, percebi – uma morte no tempo certo, triste, mas não inesperada. Don se levantou da cadeira e foi até uma gaveta da cozinha. Tirou de lá uma fotografia colorida: ele, muito parecido com hoje, o mesmo sobretudo, as mesmas botas. Um tom diferente de camisa debaixo do casaco e um pouco mais de cabelo branco na lateral da cabeça, mas era só. A mulher a seu lado podia ser sua filha, os cabelos loiros em um rabo de cavalo, um nariz comprido e pontudo e a boca aberta, rindo. Sua mão descansava sobre a cabeça de uma criancinha emburrada, que se agarrava em seu casaco azul-turquesa. O menino vestia um macacão e tinha o cabelo partido para o lado. Devia ter quatro anos, mas eu reconheci o olhar, a testa franzidíssima e a boca aberta de Samson.

"Jesus", falei. "Quando isso foi tirado?"

Don jogou a foto contra o jarro no centro da mesa. "Uns quinze anos atrás." Tomou o resto do café, se recostou na cadeira e cruzou as mãos atrás da cabeça.

"Olha", falou, "eu sempre pensei que iria muito antes de Margaret. De outro modo, eu não teria concordado quando ela disse que queria ter o bebê." Os olhos de Don estavam fechados, como se imaginasse o ocorrido. Olhei para meu café e pensei se conseguiria terminá-lo. O silêncio se arrastava.

"Não tenho sido um bom pai para ele", disse baixo. "Não sabia o que fazer, em primeiro lugar. E isso não é problema se você tem uma mãe amorosa – não precisa muito do pai, nesse caso." Ele abriu os olhos e me olhou. "Como meu velho pai." Tirou um dos braços de trás da cabeça, como se gesticulasse a alguma coisa. "Ele não era bom nessa merda – só vinha do trabalho para casa e nós ficávamos fora do caminho." Deixou a mão voltar para trás da cabeça. "Eu não era tão ruim assim – queria ser mais que aquilo para Samson, mas eu não era bom nisso. Não conseguia fazer aquela vozinha de bebê, achava constrangedor. Margaret costumava dizer *Ele não é um adultinho, é uma criança*. Mas eu nunca enxerguei a diferença. E aí, quando ficou mais velho, começou a ter problemas com déficit de atenção ou sei lá o quê. Os professores não eram bons. Eu não era bom. Mas a mãe – ela era boa." Soltou as mãos da cabeça e as deixou pousarem na mesa, com cuidado. Eram mãos velhas, mais velhas que o resto. Um dos dedos indicadores tinha uma cicatriz que o percorria inteiro, como se tivesse sido aberto, e as unhas eram amarelas, grossas e duras. As pontas de seus dedos se viravam para direções estranhas.

"Quando ela morreu, Samson tinha dezesseis anos. De onde venho, isso quer dizer que você é um homem. Eu não sabia o que fazer com ele – eu não sei se ele sabia o que fazer comigo, também. Não sabíamos o que dizer um para o outro sem ela." Don mordeu o lábio por um tempo. Ouvi o barulho de nossa respiração. "Quando ele começou com os incêndios, pensei que ele estivesse me punindo, mas eu achava que não tinha feito nada errado, então pelo que me punia? Eu nunca o maltratei. Nenhuma vez. Nunca fiz com ele as coisas que meu pai fazia."

Minha boca estava seca, mas eu não podia molhá-la com aquele instanccino morno e pegajoso.

"Em que ele pôs fogo?"

"Carros, primeiro. Depois, um celeiro. Então ele tentou queimar a cabana enquanto eu estava dentro, mas saí à noite e o encontrei sentado à mesa com o rosto entre as mãos. Ele havia feito uma fogueirinha no canto da sala, e eu disse *O que você está fazendo?* E ele disse que queria que o lugar queimasse. E então chamei a polícia. Para o meu próprio menino. Para o nosso menino."

Don olhou para longe.

"O que a polícia fez?" Pensei no sargento, gentil e inútil.

"Perguntaram se eu queria prestar queixa, e mesmo o camarada do celeiro que Samson tocou fogo – ele não prestou queixa depois que paguei os estragos –, até ele disse que o menino ficou com problemas depois da morte da mãe. Mas eu prestei queixa, e o menino foi para o reformatório."

Peguei minha caneca e tomei um gole do café ruim, apenas para que houvesse outro movimento, outro ruído naquela sala.

"Eu pensei que o lugar ia fazer bem a ele, algumas regras, alguma disciplina – Margaret nunca foi boa nessas coisas. Ela achava que devíamos estimular seu sonho de virar guitarrista." Don riu. "Ele era terrível naquilo, completamente terrível. *É meu filho*, eu dizia, *vai ser fazendeiro.*"

Lá fora, o sol se descobria de uma nuvem, então era como se alguém houvesse aberto uma cortina na sala. Eu podia ver Midge pela janela, descansando a cabeça sobre as patas, olhando na direção de minhas ovelhas. "E depois que ele foi, quando fiquei apenas eu nessa casa, sem ele com que me preocupar, comecei a entender o que ele queria."

"O que ele queria?"

"Ele queria queimar a casa, e entendi porquê."

Concordei, mas tudo em que conseguia pensar era na torneira da pia, em como eu gostaria de jogar o café fora e tomar grandes goles de água.

"Lembranças?", perguntei.

Don me olhou como se tivesse esquecido que eu estava ali. Sorriu. "Acordei uma noite com Midge uivando lá fora, olhei pela janela e lá estava ela, Margaret, em seu roupão, a única roupa que levei a ela no hospital. Ela estava de costas para a casa, andando na direção do bosque, mas eu podia ver que era ela."

Levantei-me e joguei o café fora, lavei a caneca e a enchi de água. Bebi enquanto ouvia a história, a água se acomodando em meu estômago.

"Desci e saí da casa, e corri com Midge me acompanhando, e fui até o lugar em que a havia visto, visto algo entrando na mata, e fiquei ali parado, chamando por ela. Mas ela nunca voltou. Pensei sobre colocar fogo no lugar. Não conseguia dormir por medo de que ela voltasse. Ou não voltasse."

Don suspirou, apoiou a cabeça sobre a velha mão. "Quando Samson saiu do reformatório ele não veio me ver.

Encontrei com ele na cidade algumas vezes, levei-o para beber, pedi desculpas. Mas há coisas que nenhuma quantidade de desculpas pode consertar. Ele é um espírito sensível, de verdade." Olhou para mim. "Ele não faria aquilo com suas ovelhas, se é isso que está pensando. Sinto muito que ele tenha lhe dado um susto, mas se suas ovelhas estão sendo dilaceradas então é um animal, não meu filho, eu juro."

Apertei as mãos sobre a caneca e concordei. "Sei que não é ele", falei. Don tinha os olhos cheios d'água. "Disseram que ele costuma acampar na mata, e queria perguntar se ele já viu alguma coisa."

Don sorriu. "Ele vai ter visto um monte de coisas, mas você vai ter que decidir quais são reais e quais não são. Eu não consegui, e não acho que tenha muito tempo mais para diferenciar o real das alucinações."

"Ele quer vê-lo – estava perguntando por você. Foi por isso que veio à cabana – ele não sabia que você havia se mudado."

"Ele sabe", Don disse, sacudindo a cabeça um pouco, "ele apenas esquece as coisas. Deve ter parado com os remédios."

Pensei na expressão no olhar de Samson quando ele se virou para andar noite adentro.

"É, acho que transformei meu filho em um maluco", Don falou e apertou as mãos em torno da caneca.

Levantei-me para ir embora, senti meus punhos se agarrarem às laterais de meu corpo. Sem aviso, uma de minhas mãos pousou sobre o ombro de Don, e eu disse "Não acho que é sua culpa", e ficamos daquele jeito por um instante embaraçoso. Don passou seu velho punho sob o nariz.

"Venha, que eu vou lhe dar o peixe que essa maldita mulher me deu", disse, e se levantou para ir até o congelador. "Eu vou é comer comida congelada."

18

A garota aborígene acabou morta. Karen fuma um Holiday e sua mão treme. "Eu avisei dessa merda, não avisei?", fala e despeja uma dose de vodka vagabunda em sua caneca de chá. Ela tem círculos negros em torno dos olhos. Às vezes fica assim. "Eu não falei que eles fazem isso sem qualquer motivo?"

Pego a garrafa de sua mão e coloco um pouco em minha lata de Coca.

"Só deixa as coisas mais perigosas para o resto de nós – primeiro, dando ideia para esses filhos da puta, porra. Nenhum respeito, nenhuma preocupação com o futuro. Não tentam sequer se educar, não ligam para onde estão vivendo." Ela dá uma tragada longa no cigarro. "Caralho, eles nem se preocupam se vão acordar no dia seguinte. Pronto, é nisso que dá", bate forte na coxa, "estrangulada, e fodida, e enfiada no porta-malas de um carro." Termina o chá e começa a destampar a garrafa outra vez, mas no meio do caminho seu rosto perde a dureza, os cantos da boca caídos como uma criança triste. "Cristo", diz, ainda que nenhuma lágrima apareça. Respira com dificuldade e coloca a mão sobre o peito. "Ela é só uma criança." Um som agudo escapa do fundo de sua garganta e eu tiro a garrafa de sua mão, coloco minha mão no lugar e sento ali até que ela consiga respirar novamente. Ela se recompõe respirando fundo, olhando em silêncio para o espaço sobre meu ombro. "Nós não somos assim", diz. "Temos alternativas – somos espertas. Certo? CERTO?" Grita um pouco, e eu concordo. Ela engole em seco. "Não dependemos disso. É uma opção de vida." Concordo a cada comentário. Ela olha para mim. "Você vê a chance e vai", fala. "Há oportunidades esperando em cada esquina." Como a morte, penso, mas não falo nada.

Estou sentada no Macquarie Lanes Diner, como de costume, com um de meus clientes, Otto. Ele é bom porque vem duas vezes por mês, paga um valor justo e nunca há discussões sobre isso. Ele não faz aqueles joguinhos que os outros gostam de fazer, não finge que está conseguindo algo de graça e também não se oferece para pagar o dobro caso possa me bater na cara enquanto transamos. Às vezes, sem razão aparente, o envelope com notas de dez dólares tem mais do que o preço que acordamos no começo, seis meses atrás. Tudo que ele pede é por uma conversa de duas horas e um pouco de sexo depois, uma chupeta ou o normal. Ele me paga o bastante para eu não ter que trabalhar pelo resto da noite, o que é a recompensa maior de todas. Depois, ele paga meu jantar no restaurante e come também, não como aqueles bastardos que me levam para jantar, fazem o pedido para mim, com comida demais, e ficam sentados olhando, fazendo com que eu me sinta uma porca nojenta enquanto eles tomam uma cerveja, ou um café preto, se forem do tipo cristão. Eu emagreci em Hedland, o que faz eu me sentir melhor, podendo comer mais.

A esposa de Otto o deixou, ele me conta, "como um porco saltitando para fora do curral".

Ele tem uma fazenda de ovelhas perto de Marble Bar, a algumas horas de carro de Hedland. "É um lugar bonito", ele diz. "Verde no inverno, um bom poço onde nadar no verão. Claro, tento manter a autossuficiência, tanto quanto possível – criando minhas próprias coisas –, diabos, tem espaço pra caramba!", fala, e ri um pouco. Tento imaginar o lugar, as ovelhas gordas e lanosas, fileiras de cenouras e morangos despontando na terra. Os pomares. Imagino uma corda pendurada por sobre o poço, os patos pousando lá durante a migração. O barulho dos sapos à noite. "Só eu e a companheira lá", ele ri. "Kelly, minha cachorra – é como uma irmã para mim." Pega a carteira e me mostra uma foto dela, olhos arredondados e orelhas pontudas. "Nenhuma ovelha colocaria uma pata para fora do caminho certo com ela de olho, nenhuma raposa desgraçada tenta fazer gracinha. Ela arrancaria a pele do bicho." Otto mergulha quatro batatas no molho e devora todas de uma vez. Ele gosta da comida do restaurante porque, como diz, "Não conseguiria cozinhar nem fodendo. Carole costumava fazer tudo, ovos, salsicha, carne – a coisa toda. Eu sou mais do tipo que cozinha carne e feijão enlatados. Uma merda".

Com Otto, eu sempre peço lulas com salada. A salada é daquelas com cenoura grelhada e beterraba, não o tipo que se vê na foto do cardápio, com folhas verdes selecionadas e tomatinhos e pepino, mas para mim dá no mesmo. É importante, eu sei, comer salada, é isso que Karen e eu pedimos quando saímos para jantar juntas, nas noites de folga.

Quando outras pessoas fazem o pedido para mim, pensando que vou ser muito tímida ou gulosa, sempre pedem sanduíche de bife e batatas fritas. Eles não pensam por um segundo sequer que eu posso ser vegetariana, como se eu tivesse a oportunidade de fazer essas escolhas.

Essa noite eu peço frutas de sobremesa, que são enlatadas, mas ainda assim fazem bem. Bem para a pele, penso comigo mesma, todas as vezes, como se as feridas nas minhas costas pudessem se curar caso eu coma vitaminas suficientes.

Por causa do pouco espaço no carro de Otto, e também por ser de noite, ele nunca vê minhas costas. Como ele nunca diz *Vire*, nunca tivemos esse problema. Às vezes parecemos amigos. Hoje foi dia de boquete, mas nada daqueles enfia-até-a-garganta de que as pessoas se orgulham tanto. Sou agradecida por isso, porque de outro jeito, fica realmente difícil continuar o trabalho, só de engolir já sinto como se fosse chorar.

Termino minha lula, e o prato fica manchado de beterraba e óleo, então tomo uma cerveja, porque você precisa de algo para tirar aquela sensação da garganta, mesmo que seja de um cara legal como Otto. E então, com brilho nos olhos, ele me diz: "Olha só, menina, eu tenho uma proposta".

Deixo uma mensagem para Karen, porque ela está fora quando volto para casa, e arrumo a mochila. Provavelmente vai ser só uma semana, *Só uma folga curta para ver se eu gosto da ideia*. Deixo dinheiro para o aluguel do mês seguinte, por precaução – é ideia de Otto, e ele me dá o dinheiro em notas de vinte. Insiste em dar mais do que o valor do aluguel, "Para ela saber que sou honesto", diz. Digo a Karen que vou ligar para o telefone do corredor, caso fique mais tempo, e que ela pode ir me visitar. Sei que ela vai entender, porque é exatamente isso que ela também está buscando – sair daqui.

19

Quando parei no alto do pasto, voltando para casa, havia uma ovelha faltando. Contei e recontei cinco vezes, mas não adiantou nada. Procurei pelo perímetro da cerca e na vala de drenagem, mas nem sinal dela. A cerca estava firme. Era como se alguma coisa tivesse se esgueirado por ali e levado a ovelha embora.

Cortei um ramo de espinhos que ficara preso em volta do focinho de uma ovelha velha. Ela era do meu primeiro rebanho, já crescida quando chegou a mim. Fiquei surpresa da última vez em que ela emprenhou, mas nesse ano ela continuava sem nada.

Fiz força para abrir sua mandíbula e cortei os espinhos fora. Aquilo deixara feridas profundas em volta de seu focinho, e só deus sabe o que fizera no interior de sua boca. Desviou os olhos de mim e olhou para o resto do rebanho, debatendo-se entre minhas pernas, até que a deixei ir. A lama havia entrado pelos furos de minhas botas, e a ovelha velha

disparou sem olhar para trás, sem sequer parecer agradecida por eu ter tirado os espinhos de sua cara.

"Foda-se, então!", gritei a ela, que parou de andar mas não
se virou para olhar para mim. Fechei a porteira atrás de mim
com um chute e tomei um atalho pela fileira de espinheiros,
saindo no sopé da colina, com o vento me empurrando pelas
costas. Corri ladeira acima com minhas botas barulhentas,
com pedrinhas e cascalhos se soltando sob meus passos, e coelhos se atirando no meio dos arbustos ao meu lado. No alto,
suada, parei para tomar fôlego enquanto examinava a parte
sul dos pastos. Nada se movia, além da copa das árvores. Virei-me para olhar o continente e sentei para fumar um cigarro. Observei a balsa de carros cruzando a água, uma caixinha
de sapatos branca, e, além dela, o continente, parado como
um crocodilo, com todas aquelas pessoas nas costas.

A oeste, o muro de concreto da prisão da ilha aparecia por
entre as árvores, e era possível enxergar a Military Road em
alguns pontos. Em pouco tempo, assim que chegasse a prima-
vera, a estrada ficaria invisível e a prisão não seria mais vista.

Um movimento me chamou a atenção, no espinheiro ao
pé da colina. Levantei-me, com a esperança de ver minha
ovelha perdida, mas era Lloyd cavando. Fiquei olhando por
algum tempo, seus movimentos amplos deixando a pá cavar
o chão duro e úmido com o próprio peso. Cão estava deitado perto dele, observando, a cabeça entre as patas. Lloyd estava de costas para mim. Cantava algo, pude ouvir uma nota
no vento. Ele parecia à vontade com a pá, sozinho em um
buraco na colina.

Começou a garoar, ou talvez fosse um borrifo do mar
trazido morro acima pelo vento. Cão andou em círculos em
torno de onde Lloyd cavara, farejando as coisas que haviam

sido desenterradas. Desci na direção deles, sem saber o que diria ao chegar lá. Lloyd se agachou e tirou do buraco algo que chamou a atenção de Cão. O cão saltitou no lugar e farejou aquilo na mão de Lloyd, que deu um tapinha em sua cabeça para mostrar que entendera. Cão voltou a suas coisas, e Lloyd segurou fosse o que fosse aquilo em suas mãos como um pedaço de bife, e depois o jogou de lado. Seus ombros ficaram tensos. Parei e acompanhei seu olhar subir até o céu branco, onde uma ave de rapina rondava. Ambos se encararam. Lloyd começou a cantar para a ave, mas tudo que chegava a mim com a brisa era um murmúrio. Ele largou a pá e os braços ao lado do corpo, o vento deixando seus cabelos em pé, para trás, grisalhos e indomados. Fez uma dancinha e a ave voou mais baixo para assistir. Ele cantou mais alto, gritou "Queria que cada beijo fosse eterno!", e uma lufada de vento veio por trás de mim e jogou meus cabelos sobre o rosto. Um segundo depois, atingiu Lloyd, que cambaleou em sua dança, ajeitou os cabelos novamente e se virou para onde eu estava. *O olho humano percebe movimentos antes de qualquer outra coisa.* Lloyd ergueu sua mão em minha direção, e eu fiz o mesmo. Passou os olhos pelo céu vazio por algum tempo, depois sentou de costas para mim, na borda do buraco que cavara. Cão ficou de pé e latiu uma vez, e segui na direção deles.

"Cavando um buraco?", perguntei.

"Tem problema?", Lloyd falou.

"O que você está enterrando?"

"Só estou cavando." Ele continuava olhando para cima, para onde a ave estivera. No silêncio, sentei-me a seu lado.

Cão tentou lamber meu rosto, mas o afastei.

"Sementes", ele disse.

"De quê?"

"Ia plantar algumas sementes de maçã." Houve mais silêncio. "Certo."

Para provar o que dizia, tirou uma maçã do bolso e a girou nas mãos, em minha frente. "Ha!", falou, e atirou a maçã o mais longe que pode, na direção dos espinheiros. Depois de mais silêncio, ele disse: "Quando criança, eu acreditava em reencarnação".

Senti o cheiro de uísque. "Parece algo reconfortante em que acreditar", falei, apenas para ter o que falar.

"Não tenho certeza se acredito nisso agora. Mas gosto de fingir que sim."

Ele certamente ia voltar àquilo assim que os cordeiros começassem a nascer.

"Você acredita em vida após a morte?", perguntou, com outra baforada de uísque.

"Não, eu não."

"Então do que você tem tanto medo?"

Encarei-o. Seus olhos estavam apáticos.

"E essas sementes?", perguntei. "Fale das sementes."

Ele se reclinou e respirou pesadamente pelo nariz, os olhos fechados. "Em memória."

"Do quê?"

"Os judeus fazem isso. A árvore da vida. Eles têm um nome para isso, um feriado. A rainha também faz – ela planta uma árvore."

Cão ganiu. Eu estava incomodada. Lloyd, de olhos fechados. O vento diminuiu e o lugar inteiro se aquietou.

"Desculpa", ele disse, "não estou fazendo muito sentido." Respirou profundamente. "Não é nada especial", seus olhos se abriram. "De manhã ele estava vivo, e de repente, à tarde, tinha morrido."

"Quem?"

Apontou para o espaço vazio onde a ave voara.

Torci uma folha de grama até que saísse líquido. Lloyd tirou de sua mala uma garrafa meio vazia de uísque. Deu um gole maior do que seria confortável para a garganta. Limpou o gargalo com a mão e ofereceu para mim. Quase disse não, mas não o fiz.

"Olha – tenho o que sobrou de suas cinzas em um envelope." Tirou do bolso do paletó um pacotinho mal conservado. "Mas ele molhou. Agora ele é mais lama do que cinzas." Lloyd olhou dentro do envelope, depois o dobrou de novo e soltou um suspiro. Sentou-se ereto e falou com uma confiança renovada. "A ideia era que eu fosse aos pontos mais distantes da Grã-Bretanha. Aqui era minha última parada. Faço uma cerimônia pequena a cada passo – os três primeiros foram tranquilos. Fui a Suffolk e arrumei um barquinho de madeira, de brinquedo, e coloquei fogo nele com um pouco das cinzas à bordo. Era noite, o mar estava calmo e não tinha ninguém por lá, então deu tudo certo." Sorriu e fechou os olhos outra vez. "Fiquei vendo ele sumir na distância e pensei, assim que desapareceu, que eu me sentiria melhor."

Uma mariposa enorme esvoaçou perto de nós. Olhei-a pousar por um instante na barba de Lloyd e depois alçar voo novamente rumo ao sol.

"John O'Groats!", Lloyd gritou, abriu os olhos e me encarou como se eu estivesse brigando com ele. Peguei a garrafa de perto dele e bebi um pouco mais. Era mais defumado do que eu gostava.

"Em John O'Groats, eu fiz um círculo de pedras e o polvilhei inteiro sobre elas. Como se decorasse um bolo. Foi legal. Sentei ao lado dele e tomei champanhe. E depois o atirei de um precipício em Cornwall. Tudo correu bem. Mas aqui – eu não consigo fazer essa última coisa direito." Ele

me olhou, abatido. "Estou cansado disso, de saco cheio."
Olhou para o envelope em suas mãos. "Eu poderia passar
por uma lixeira na loja de conveniência e jogá-lo fora."

"Quem era ele?" Minha garganta queimava.

"Era meu", Lloyd disse, e abriu um sorriso largo. "Ele era
meu e foi atingido por um caminhão no caminho para o trabalho. BAM!", gritou, riu baixinho e depois ficou quieto.

"Seu filho?"

"Não – não meu filho."

Minhas entranhas se retorciam como um cardume de peixes.

"Sinto muito", falei. Levantei e sacudi a terra das calças.
Lloyd agitava a mão no ar, em torno do corpo.

"Podemos ir?", perguntei. Eu não queria voltar para casa
sem ele.

20

Trabalhar em Hedland é diferente de trabalhar em Darwin. Em Darwin, alguém me contou que Hedland era um lugar mais seguro porque havia menos turistas indo e vindo, e que o sexo era mais padrão por ser com o pessoal que vivia e trabalhava ali. Em Hedland, eles subiam pelas paredes porque estavam de férias. Aquilo fazia sentido e pesquisei um pouco sobre o lugar, uma cidade de mineração, e esperei que se parecesse com um filme de faroeste, mas quando saí do ônibus vi que era só uma cidadezinha de merda. E, no fim das contas, o sexo é exatamente o mesmo, tanto com homens entediados quanto com os superexcitados. Imagino que eles tenham tido tempo suficiente para pensar no que gostariam de fazer com alguém na cama. Mas nem todos eram assim. Alguns eram gentis, mas mesmo as pessoas gentis usam as outras para o sexo. Você acaba descobrindo isso.

Divido um quarto e a cama com Karen, na sobreloja de uma rotisseria. Ela está em Port Hedland há dois anos quando chego, mas não me conta o motivo, e também não digo a ela por que eu estou lá. Apenas ficamos juntas, e ela me faz rir. Ela é linda, do tipo capa de revista, com cabelos compridos e cintura fina, e tento não pensar muito em como ela, com aquela aparência, acabou caindo no mesmo lugar que eu.

Fazemos o possível para deixar o lugar apresentável, mesmo que cheire mal com todo aquele frango assado, e Karen fala algo sobre o que ela chama de "ambiância", resultado das velas aromáticas e de um trapo laranja sobre a única janela. Ela também fala de "fung shuay" e fica brava quando mexo nas coisas quando ela não está, quando movo as coisas e deixo os pés da cama de frente para a porta. "É desse jeito que você é arrastada na hora da morte!", reclama, arrastando a cama pelo quarto até onde estava antes, no meio do caminho, e cada vez que você passa por ali dá com a canela naquilo.

"E daí?", digo. "Você prefere ir de cabeça pela janela?" Ela não ri.

Tentamos não trazer trabalho para o quarto. Nós duas preferimos fazer as coisas no caminhão dos caras ou em suas casas, mas às vezes eles estão muito bêbados, e é melhor se você arranjar o lugar, então tentamos organizar uma rotina para que ela trabalhe na madrugada e eu à noite. Ela trabalha mais do que eu, diz que tem ânsia por sair de Hedland. Uma tarde, estamos bebendo Coca com gelo do lado de fora do mercado, o Four Square da rua principal, e Karen aponta para uma garota aborígene em uma viela, recostada contra uma cerca, os olhos fechados com o sol sobre eles.

"Olha lá", Karen diz, "ela é o que está abaixo de nós. O nível inferior. Esse tipo de garota não consegue arrumar um lugar melhor do que este." Olho para a garota que ela indica, mais ou menos da minha idade, talvez mais nova, vestindo uma camiseta azul clara e uma saia que não parece confortável. "Aquela ali eu vi trabalhar por uma lata de cerveja." Ela se vira e me diz, em uma voz ainda mais suave que eu não estou acostumada a ouvir vindo dela, "Não pense nunca que estamos presas aqui como essa garota, nós não estamos, nós temos como sair se quisermos".

Pouco depois, Karen arruma um programa, e eu continuo ali, olhando para a garota que trepa pelos trocados da cerveja, e me pergunto que diferença faz. Ela me pega olhando e me encara, os dois pés afastados, de um jeito que me faz saber que há algo diferente ali, mas algo diferente sobre o qual eu não sei nada. Vou para outro lugar, porque ela me assusta.

Por dois meses, Hedland parece seguro. Posso andar à vontade e não tenho a impressão de que estão me olhando. Durmo e não acordo com aquela sensação de que há alguém escondido no canto, de que se esgueiraram pela janela e estão à espera de que eu os veja. Mas quando vou trabalhar, uma noite, percebo o som de passos atrás de mim. Quando corro, eles aceleram. O importante é não olhar, e me enfio em um café 24 horas. Ninguém me segue, e sento com uma Coca por uma hora, até que a garçonete começa a me encarar, talvez porque eu tenha comprado só uma Coca e esteja demorando demais. Ela começa a vir em minha direção, com uma expressão azeda, e um cara velho e barrigudo chega antes e se senta comigo.

"Está tudo bem, Marg", diz, "ela está comigo." Ele sorri de um jeito que eu não via há muito tempo, e a garçonete vira os olhos e volta para trás do balcão. "Uma cerveja para pensar melhor?", ele pergunta e diz à garçonete que traga duas. Ele é solitário, e dá para ver que não está preocupado apenas em trepar, mas em conversar com alguém.

"Eu estava lendo", fala enquanto mostra seu jornal, "que encontraram uma cobra de quase dois metros embaixo da cama dessa senhora – ela estava atirando comida para o gato quando a enfermeira apareceu. A cobra comeu o gato e provavelmente o resto de comida também." Nós dois rimos, e a garçonete olhou para nós.

"Sempre quis um bichinho de estimação", eu disse, mas logo me calei, porque aquelas palavras me deixavam triste e agitada. "Você mora longe daqui?", perguntei ao homem, pensando se ele tentaria me levar para lá.

"Sim, bem longe. Venho para a cidade uma vez ou outra, conseguir comida decente e espantar o tédio. Vim aqui essa noite para assistir a um filme."

"O que você vai ver?"

"Já perdi o horário, agora. Estavam passando *A Dama e o Vagabundo* – adoro esse filme."

Sorrio. Ele é um velhinho simpático. "Perdão se o fiz perder o filme."

"Bah", ele fica um pouco corado, "não se desculpe. É ótimo conversar com alguém."

Quando terminamos nossas bebidas, ele não me pede nada nem tenta fazer com que eu fique para outra rodada. Apenas diz para que eu me cuide. "Estou por aqui em algumas semanas", diz, "se você quiser conversar ou tomar uma cerveja – uma noite de folga." Ele me cumprimenta com um aperto de mãos. "Foi um prazer conversar com você. Me chamo Otto, espero encontrá-la outra vez." Deixa vinte dólares comigo e coloca dez no balcão, pelas bebidas, e sai do café sem sequer apertar meus peitos. Quando anda, dá passos para um lado e para o outro, seguindo em frente.

"Pois eu acho", Karen fala, acendendo a segunda metade de seu último cigarro, "que você deve cavar seu caminho, direto para baixo. Cavar até a China."

Faço uma careta. "A China é para o lado."

"É só maneira de falar." Ela franze a testa e traga o cigarro já velho, passando-o para mim, e sei que somos amigas. "Inglaterra, que seja. Se você quiser ser específica. O importante é que nós, branquelas, não deveríamos ficar aqui. Esse lugar está o tempo todo tentando nos expulsar." Devolvo o cigarro, com o cuidado de não segurá-lo por mais tempo do que seria educado. Karen o coloca na boca e se inclina para mim, apontando para os seus lábios, quase me queimando com a ponta do cigarro.

"Está vendo isso aqui?" Há uma pequena cicatriz branca. "Tenho vinte e três anos, tive um câncer arrancado daí ano passado." Ela se afasta outra vez, prende a fumaça no pulmão e a deixa sair em ondas. Cruza os braços à sua frente. "Quem é que sabe o que está para aparecer no meu rosto agora?" Tateia as bochechas como quem procura por pedaços descolando. "Sabia que nossa mãe nunca nos deu nada para cobrir o rosto? E era época da musiquinha "Slip Slop Slap"[1] – tivemos uma reunião inteira sobre essa merda na escola." Ela se levanta e faz um teatrinho. "Slip! Slop! Slap!", canta. "Vista uma camisa, passe o protetor, bote um chapéu." Dá uma voltinha e agita as mãos espalmadas, parando em uma pose com os braços cruzados. "Eu era a porra do passarinho – e nem assim, *nem assim* ela foi capaz de nos dar protetor solar."

"Quer uma xícara de chá?", pergunto, levantando do chão.

"Esse é o problema com a gente, olha, já entendi", ela fala, sem me ouvir. Coloco a chaleira no fogo, de todo modo. "Não devíamos estar aqui, sequer devíamos ter vindo para a Austrália, em primeiro lugar. Olhe para nós – cobertas

---

[1] Música tema de uma campanha australiana pela prevenção do câncer de pele, lançada em 1981 pela organização Cancer Council Victoria.

por câncer de pele. O mar quer nos matar, as plantas querem nos matar. Sabia que tem uma concha no norte – você a pega na praia, achando que encontrou algo bonitinho para pendurar no pescoço, e a filha da puta libera um veneno que desintegra seu fígado? É uma merda, e a gente não devia estar aqui." Karen aponta para mim com o toco de cigarro aceso. "Você – você não tem nada que entrar no mar – aquilo é tipo um ninho de cobras." Deixa a cabeça cair para trás e diz, em voz baixa, "Caralho, até as partes secas são um ninho de cobras."

"Quer chá de menta ou o normal?"

Karen suspira, jogando as mãos para o alto sem olhar para mim. "Quero um *English Breakfast*,[2] ora porra! E um bolinho!"

"Bom, a gente está sem leite."

"Pelo amor de DEUS!"

Gosto quando ela fica desse jeito. É melhor do que assistir TV. Ela se inclina para pegar o chá preto. "Queria um baseado", ela fala, desanimada. Despejo água quente sobre um saquinho de chá normal. Ela sopra sua caneca e depois toma um gole, fazendo careta, suspira outra vez e coloca a caneca no chão, espirrando um pouco do chá. Olha para a ponta queimada de seu cigarro e a coloca de volta no maço vazio. Tento não pensar sobre aquilo ainda estar aceso.

"Na Inglaterra", ela continua, "eles levam a hora do chá muito a sério. Sabe o que é *Devon cream tea*?"

Balanço a cabeça e deixo o vapor da bebida subir pelo meu rosto. É difícil desgrudar os olhos do maço de cigarros, não pensar no que está acontecendo lá dentro, que alguma fagulhinha ainda pode estar acesa.

---

2   Tipo de chá preto servido no típico café da manhã inglês.

Ela se inclina para a frente e junta as mãos como se estivesse segurando alguma coisa. "Eles pegam um bolinho, um pouco de geleia e nata, e fazem vários sanduichinhos com isso."

"Não parece tão fantástico."

"Mas aí é que está!", ela diz, mostrando a palma de suas mãos. "Eles transformam um bolinho chato em uma verdadeira cerimônia. Com prataria e guarda-sóis. Você pode fazer um *Devon cream tea* em um barco, descendo um rio ou em um gramado."

"Prefiro estar pescando, se estiver em um barco", falo, apenas para provocá-la, e também para distraí-la do fato de eu ter me levantado apenas para pegar o maço de cigarros. Esvazio as bitucas queimadas na pia, debaixo da torneira.

Ela bate as mãos. "Mas esse é exatamente meu ponto." Seus olhos ficam úmidos e sérios. "Você arruma um tempo para fazer as coisas, coisas simples, você faz do *ato* de tomar chá uma coisa bela. Aqui", ela sorri e pega um pacote de biscoitos da mesa, que guardávamos para o jantar, "aqui a gente fica com essa merda de água e sal."

Normalmente Hedland é quente e seco, mas uma noite, do nada, chega um ciclone que dura uma semana. Chove aos baldes lá fora, e se algum dos caras não quer transar no carro, Karen e eu precisamos levá-los ao quarto ou alugar um na pizzaria, o que é um desperdício de dinheiro. Temos apenas dois lençóis, então é preciso ser cuidadosa, forrar com uma toalha e *deixar o lugar do jeito que gostaria de encontrá-lo.* Karen recolhe seu pôster de unicórnio, porque diz que os homens não acham aquilo excitante. Sobre a cama, há um quadro deprimente, feito com serragem. É uma fazenda de gado, ou deveria ser. Para mim, parece apenas um monte de serragem, mas como já estava ali quando chegamos, e como está em uma moldura, e atrás dela há um buraco feito por algo pesado que jogaram contra a parede, deixamos lá. Tenho a leve impressão de que Karen gosta daquilo e acha que adiciona algo à *ambiância*.

Ainda está absurdamente quente, mesmo com a chuva caindo, e estamos as duas mais ocupadas do que o normal – imagino que as pessoas se entediam quando não podem sair de casa, imagino que elas ficam pensando em outras coisas, e aí querem transar com uma garota. Está tudo uma confusão, primeiro porque é indelicado não oferecer uma toalha se entramos no quarto e estamos os dois ensopados de chuva, e quando eles finalmente se secam o tempo do trabalho já está passando, mas não dá para dizer isso a eles, não é algo que eles aceitem ouvir. Até onde os interessa, a hora que pagaram é uma hora de sexo, e se por acaso está chovendo tanto que até sua calcinha fica ensopada, azar o seu. Duas vezes eu chego quando Karen está trabalhando, e ela quando eu estou, então deixamos um colar pendurado na maçaneta para avisar que estamos ocupando o quarto. Às vezes isso significa passar um tempo conversando com o cara no corredor, enquanto se ouvem os rangidos e grunhidos que vêm do quarto. Às vezes isso faz o cara desistir, mas é melhor do que ter alguém entrando se você está no meio da coisa, porque eles podem ficar bem desagradáveis quando isso acontece. Como se a própria mãe aparecesse no meio da transa ou algo assim.

Estou lá com um homem que diz se chamar Simon, embora eu consiga ver seu nome escrito dentro da bota na hora em que ele a descalça, e lá ele se chama The Rock – escrito em letras desenhadas, como se ele achasse ser um super-herói ou algo parecido. Conforme vai dizendo quão grande ele é, imagino que ele próprio se deu esse apelido. Eu e a pedra vamos para a cama e é tudo bem normal, comigo em cima.

"Fica de sutiã." The Rock tem uma tara por peitos em sutiãs. Ele os agarra enquanto se sacode embaixo de mim, os olhos grudados no ponto em que meus seios se juntam entre suas mãos. Coloca a língua para fora, como uma criança aprontando. Como está concentrado, ele me dá chance de olhar rapidamente para o relógio – levanto-o até o rosto e depois finjo que isso tinha a ver com o sexo, agarro os cabelos e coloco o dedo na boca. Está ficando tarde, Karen vai estar de volta em dez minutos, e esse cara não está chegando a lugar nenhum com meus seios. Se presto atenção, acho que consigo ouvi-la do lado de fora, e é embaraçoso quando isso acontece.

Nessa hora ele diz "Fala que quer que eu goze nos seus peitos". E só essa ideia já o faz dar uma estocada muito mais forte, que me entra até o fundo e me dá vontade de socá-lo na cara. O impulso é tanto que faz a cabeceira da cama bater contra a parede, balançando o quadro de serragem vagabunda, e de repente saem dúzias de aranhinhas do buraco na parede. Levo um segundo para reagir, e nesse segundo o Rock dá outra estocada funda, e quando a cama bate contra a parede uma aranha cai direto sobre seu rosto. Ele berra e eu berro junto, pulando para longe, e ele salta para o chão, esfregando as mãos no rosto e se sacudindo e gritando "Porra porra porra!" como se estivesse em chamas. Ouço uma batida na porta e ela se escancara, e lá está Karen com os olhos arregalados depois de ter ouvido toda aquela comoção. Ela está com um sapato na mão, pronta a enfiá-lo no olho de seja lá o que esteja querendo me matar, e ela vê as aranhas e berra. Atrás dela, posso ver um homem descendo as escadas e saindo do prédio. The Rock está na pia, lavando o rosto vezes seguidas, e as aranhas ainda estão jorrando e se espalhando pela parede. Karen e eu gritamos e gritamos, até começarmos a rir, e Rock se vira com lágrimas nos olhos e voscifera "Putas do caralho!", como se aquelas fossem nossas aranhas de estimação. Ele sacode as calças e as veste, saltitando como se elas estivessem por todos os lados, sendo que o único lugar com aranhas, tirando a que caiu sobre seu rosto, é a parede. "Pode esquecer o dinheiro, sua bruxa de merda!", ele cospe e se atira para fora do quarto, com as botas na mão. Grito "Tchau, Pedrinha!", e Karen e eu caímos na risada, e gritamos, porque nosso quarto está forrado de aranhas.

O sonho não é nada especial. Apenas o sonho de casa. Posso sentir seu cheiro. O cheiro da velha fritadeira e do cigarro secreto de mamãe atrás da casa. Os trigêmeos fazendo o som de fundo, e brigando, e querendo as coisas, a falta de ar em uma casa lotada. Estou no banheiro, deitada na banheira, mas ainda posso ver o quarto que divido com Iris, e ela está lá de namorico com algum garoto. A casa está tentando parecer normal, mas sei que há algo às minhas costas que não consigo ver. Isso é tudo, mas acordo com Karen sentada sobre mim, prendendo meus braços com suas coxas e chamando meu nome.

"Cristo, caralho", diz, "o que foi isso?" Ela sai de cima de mim e acende a lâmpada ambiante vermelha que fica no chão. Olha para mim, esperando uma resposta, e tem o rosto inchado de sono. Suspira quando eu não respondo, ajeitando o travesseiro alto para que possa se recostar, e acende dois Holidays, passando um para mim. Meu coração ainda está disparado e há suor em meu rosto.

"Desculpa", falo, e ela me olha de lado enquanto solta a fumaça. "Foi só um sonho."

"Nem fodendo", Karen diz, segurando o cigarro entre os lábios e tirando uma mecha de cabelo do meu rosto. "Você está bem?"

Faço que sim com a cabeça e, conforme meu coração começa a desacelerar, parece que o sonho é a fumaça que sopro. Mas a sensação ainda está lá, o cheiro de fritura em meu nariz. Experimento fechar os olhos, e toda vez que o faço, vejo Iris através do buraco na parede do banheiro. Sinto meus ombros contra a curva branca da banheira, e abro os olhos de novo para substituir a imagem pela que está em nossa parede – o unicórnio com golfinhos saltando por trás. Parece besta.

"Quer conversar?", pergunta Karen.

"Não, obrigada." Ela amassa seu Holiday e depois tira o meu de mim. Coloca-os no pires próximo à lâmpada ambiante, e apaga a luz. A luz entra no quarto através das toalhas penduradas na janela. Ela se ajeita mais para cima, contra a cabeceira da cama, e me surpreende ao puxar meu corpo para si, fazendo com que minha cabeça descanse em seu peito e seu braço esteja em volta de mim. Percebo que estou machucando seu seios com a cabeça, mas ela parece relaxada. Tento ficar também.

"Pense no seu cérebro", ela me instrui. "Tente visualizá-lo." Posso ouvi-la respirar profundamente no escuro, e é agradável. "Consegue ver?"

"Sim", respondo. Meu cérebro é rosa-choque e saliente.

"Está vendo a fissura no meio dele? Que separa o cérebro em duas metades?"

"Estou." Dou um zoom nessa linha da minha cabeça.

"Pense nisso", Karen fala, "essa linha é o corredor de seu cérebro."

Meu cérebro imaginado não sabe o que fazer, então apenas pulsa.

"De cada lado do corredor", ela continua, e começa a afagar meus cabelos com a mão que envolve meu corpo, "estão as salas onde ficam as memórias." Sua voz diminuiu um pouco. Acompanhando sua respiração, que vem e vai como o balanço calmo de um barco, é mais fácil visualizar o corredor do cérebro. Ele é iluminado por lâmpadas incandescentes e o piso é brilhante, como um corredor de hospital. Não há ninguém ali, e ele se afunila até sumir de vista. Karen começa a acariciar meu cabelo atrás da orelha, uma e outra vez. "Entre em alguma dessas portas", ela diz. Avanço para uma delas e, quando percebo, estou vestida com um uniforme antiquado de enfermeira. Meus sapatos têm sola de borracha. Abro a porta e entro, e ali eu posso ver o banheiro de casa e o pequeno buraco no nó da madeira por onde posso observar Iris, mas ele está fechado com papel higiênico. Lá fora está de dia, mas também escuro. Posso sentir o cheiro do mundo à minha volta se desmanchando, sentir o cheiro da fritadeira no andar de baixo. Ouço um barulho de vidro quebrando.

"E agora saia dessa sala, pela mesma porta por onde entrou", Karen diz, e eu me viro para encontrar a porta do hospital ainda lá. Ela não se fechou enquanto eu não olhava, e a atravesso com minhas solas de borracha novamente, para o corredor mal iluminado. "Agora, tranque a porta atrás de você." Tiro um molho de chaves enorme de meu bolso branco, e ele faz barulho enquanto tranco a porta.

"Agora, continue pelo corredor." Os dedos de Karen estão mais enroscados em meu cabelo, acariciando devagar e no ritmo de sua respiração. Seu corpo está mais para baixo e posso sentir sua respiração em meus cabelos, um hálito quente. "E escolha uma porta nova. Abra. Entre nela, vá para um lugar bom. Se acontecer de ser um lugar ruim, saia e procure outra porta."

Paro na frente da porta com o molho de chaves na mão. Posso ver meu reflexo no vidro de segurança. Tenho um daqueles chapeuzinhos de papel com uma cruz vermelha na cabeça. Pelo vidro, consigo ver que a sala está submersa e algo desponta na janela, mas a água é escura e não consigo descobrir o que é. Fico parada no corredor, com meus sapatos brancos emparelhados.

"Você está na sala? É uma boa sala?", Karen pergunta calmamente.

"Sim", eu minto, respondendo no mesmo tom. Continuo parada no corredor por mais um momento, e depois sigo caminhando por ele – que se estende até onde meu olho alcança. Posso nunca mais entrar em porta alguma.

21

Fritei os peixes na manteiga e o comemos com pão. A ovelha ainda estava desaparecida; quanto tempo levaria até que ela aparecesse como tufos de lã ensanguentada pela colina inteira? Lloyd estava bêbado, e eu tentava ficar também. Quando caminhávamos juntos pela estradinha, com cinzas caindo do envelope e manchando seus dedos de preto, algo havia guinchado e ecoado através do vale. Meus pelos da nuca se arrepiaram. Lloyd não percebeu nada, entretido com sua canção.

Enquanto eu cozinhava, ele se precipitou para acender o fogo. Fingi não notar quando ele perdeu o equilíbrio e teve que sentar de pernas cruzadas na lareira, para ajeitá-la. Abriu o envelope e o colocou no centro da fogueira apagada, e riscou um fósforo. Como estava úmido, ele precisou tentar algumas vezes, e me senti triste por ele, por aquilo tudo não ter acontecido de maneira mais satisfatória. Sentou-se no sofá assim que o fogo estava aceso, cantando novamente. "Seria tão bom sermos mais velhos, não ter que esperar tanto tempo", mas sua música era lenta como um hino.

Lloyd tinha cinzas na barba, e ele apenas deu de ombros quando o avisei, deixando as cinzas lá. O peixe estava bom, e o pão assentou o uísque no meu estômago. Não conversamos, e havia apenas o ruído dos garfos nos pratos, dos goles descendo por nossas gargantas e da bebida sendo colocada novamente nos copos. Lá fora, o vento fazia as copas das árvores farfalharem, de vez em quando um uivo, que podia ser do vento, cortava o vale, desde o mar até os espinheiros, passando pelas ovelhas pastando no escuro e abrindo a bocarra para engolir a casa. Bebemos mais e continuamos bebendo.

"Deus, você podia cortar esse cabelo", ele disse.

Levantei-me e dei um tapa em seu rosto, que apenas atingiu sua orelha, e ele agarrou meu pulso.

"Puta merda!", gritou. "Só uma aparadinha!"

Fui para a cama.

Acordei de manhã com a boca seca. No andar de baixo, o fogo estava quase apagado e o alimentei com a lenha que Lloyd deixara perto da lareira. Cão dormia enrodilhado ao lado dele. Senti uma náusea na garganta, subindo do estômago até minha cabeça. Bebi três copos de água e acendi um cigarro. Fumei enquanto olhava pela janela a luz surgindo, cinza pálida. Vi um morcego esvoaçando na frente da casa e sumindo sob o telhado. Não havia névoa hoje, mas uma geada cobria o solo.

Primeiro, pensei que fosse um gato, porque se movia como se fosse, esgueirava-se como um gato, mas era maior e eu podia ver, mesmo à distância na mata, que o pelo em seu dorso era mais denso e áspero, os ombros eram mais compactos e musculosos.

"Lloyd", chamei, mas não em voz alta. Aquilo entrou na escuridão do bosque, e desapareceu. Pestanejei, pensando se teria realmente visto alguma coisa.

No galpão, enchi os cochos com água e ração. A luz do dia já começara a ir embora e Cão resmungava, deitado, porque ainda não comera nada. Fazia calor no galpão, e a chuva no telhado de zinco se misturava ao alvoroço das ovelhas que se ajeitavam sobre a palha. O cheiro era bom. Lloyd tocou o focinho de uma ovelha que eu pensava ter trigêmeos. Ela bufou contra sua mão, mas ele não se mexeu. Esses animais, pelo menos, estavam salvos por ora. Movi o barril de ração para pegar algumas luvas atrás dele, e lá estava um casco mastigado. Encarei-o por um momento até entender do que se tratava.

"Lloyd", eu disse, e ele veio para perto de mim. Ficamos olhando aquela perna, o osso moído perto da anca, a pata fendida e encurvada. "Vou dormir aqui, essa noite."

"Uísque", foi tudo que ele disse.

22

Em Darwin, um homem com cicatrizes de varíola no queixo e um cheiro que parecia de vinagre em conserva me oferece quarenta e cinco dólares, mas não por apenas uma chupeta.

"Pela coisa toda", ele diz. Quarenta e cinco não é muito, considerando que o primeiro me dera trinta só para usar o meu rosto.

"Cinquenta e cinco dólares?", propus, e ele sorriu de volta como se fosse um pai indulgente.

"Vamos ver o que você faz. É melhor ser muito boa, por cinquenta e cinco."

Não sei o que fazer. O sexo oral é bastante claro – eu me ajoelho, eles abrem a calça. Mas ficamos de frente um paro o outro, por algum tempo, e me mexo com desconforto.

"Onde vamos fazer?", pergunto, percebendo que estou corando.

"Tenho uma lona na traseira do carro", ele diz e se vira em direção à rua. Seu carro é um negócio enferrujado, com placa de Queensland e uma rachadura no para-brisa que foi colada com fita adesiva. Uma lona azul está montada como uma espécie de cabana na traseira do carro. Começo a subir.

"Não aqui, menina! Se estou pagando pelo serviço completo, quero fazer barulho." Ele entra no carro. Eu me arrasto até a porta do passageiro e entro também. Conforme dirigimos para fora da cidade, fico nervosa.

"Qual seu nome?", pergunto.

"Não interessa."

Ficamos em silêncio.

"O meu é Jake."

"Não quero conversar."

"Sou lá do oeste, perto de Brisket."

"Nunca ouvi falar – Cristo, eu tenho que pagar para você ficar calada?"

Resolvo que seu nome é Ken, abreviação de Kenneth. Provavelmente trabalha em um barco pesqueiro. É o tipo de pessoal aborrecida que, no fim das contas, é amigável.

O resto da viagem segue em silêncio. Entramos em um estacionamento na praia, e ele para sob uns pinheiros.

"Vai pra trás", Ken diz.

Quando entro debaixo da lona, Ken aperta minha bunda. Parece um carinho estranho depois de ele ter sido tão cretino durante a viagem. Sob a lona, tudo é azul e brilhante. Ele e sua pele, eu e minha pele, tudo parece iluminado, e seus dentes parecem muito brancos contra o rosto pálido. Faz calor ali, e o sol deixa tudo cheirando a plástico quente. Eu sorrio para Ken, que me segura pelos quadris e me vira de costas, sem delicadeza, e eu não posso mais ver seu rosto.

"Tira isso", ele fala, e começo a desabotoar meus shorts. A ideia de ficar com a bunda à mostra para um homem que você nem conhece é constrangedora. Mas eu faço, e ele termina de tirar meus shorts e de repente está sobre mim, todo quente e aceso, enfiando partes do seu corpo no meu, suando o tempo inteiro.

"Vamos", diz, e me puxa pelo quadril até que eu fique de quatro. Ele resmunga. "Faça algum barulho, porra", e bato com meus pulsos no chão do carro. "Não esse tipo de barulho, imbecil", ele grita, antes que eu entenda o que ele quer dizer. É estranho fazer os ruídos que ele quer. Há um furo na lona que me deixa ver como lá fora é branco, e faço os ruídos que ele deseja. Felizmente estou de costas, então não preciso fazer as caras e bocas também.

Grunhindo e falando coisas encorajadoras, tipo "Isso, assim mesmo", Ken passa a mão no meu corpo de um jeito quase carinhoso. Estende a mão para sentir meus seios sob a camiseta, depois desliza as palmas pela lateral do meu corpo até onde ele está trabalhando. Ele começa a ficar sem fôlego, e entre nós há toda uma algazarra de gemidos e gritos, enquanto olho o círculo branco de céu. Ele aperta os dedões sobre meu quadril e grita, caindo para trás logo em seguida.

"Que merda é essa que você tem?", berra com o pouco fôlego que lhe resta. Viro-me para olhar para ele. Parece tão irritado, com as calças arreadas e as mãos sobre o pinto, que eu quase rio. Ele me chuta com as pernas presas.

"O que é isso, garota? Porra, eu nem coloquei camisinha."

"Não sei do que você está falando", tento dizer, e ele quase me atira para o branco fora da caçamba, com meus shorts arreados até o joelho e seu suor cobrindo meu corpo. Ele sai do carro logo em seguida, enquanto me visto novamente, e penso que ele vai me bater, chegando tão perto do meu rosto.

"Que merda é essa nas suas costas?"

"Só cicatrizes", respondo.

"Cicatrizes? Do quê?" Ele continua desconfiado, mas seus punhos se soltam um pouco. Respiro aliviada.

"Um acidente."

"Que tipo de *acidente*?"

Não sei como responder, então fico parada ali, coçando meu braço por um tempo.

"Um acidente no mar", finalmente digo, porque as palavras parecem apropriadas, e é aí que as piores coisas acontecem.

Ele aperta os olhos com as mãos espalmadas. "Porra", suspira, "pensei que fosse um tipo de AIDS." Ele cospe no chão perto de mim. "Você devia avisar as pessoas que tem isso. Não é justo fazer com que a gente pague por um produto estragado."

Kenneth se afasta sem me dar qualquer dinheiro e entra no carro. Sai dirigindo sem me olhar novamente, e na hora que lembro das minhas coisas todas na cabine do carro, vejo minha bolsa sair pela janela e aterrissar na estrada. Recolho minhas coisas e as coloco dentro da bolsa, conferindo se ele colocou minhas sandálias junto, mas ele não pôs. Volto para a cidade descalça, com pedaços de asfalto grudados nos calcanhares. Eu nunca havia pensado nas minhas costas daquele jeito, que outras pessoas poderiam vê-la e perguntar o que era aquilo. Havia sido minha primeira transa completa, como eu poderia saber quais partes não podem ter cicatrizes e quais partes seria possível relevar?

23

Os corvos se empoleiravam na copa das árvores. Seu negror contra a escuridão do céu me dava vontade de pegar a arma e afugentá-los. Peguei um lampião na casa, para não precisarmos deixar a lâmpada acesa, o resto do pão, já passado, e um pouco de manteiga e mel. Coloquei o café no fogo para encher as garrafas térmicas. Pela janela, a luz se desvanecia em ondas, os ramos das árvores se alongavam, pendurados em suas sombras. Encontrei dois dos meus casacos mais grossos e enrolei uma garrafa de uísque pela metade com um deles, antes de colocá-los na mochila. Tirei uma caixa de munição do armário da cozinha. Papai tentou me ensinar a atirar em latas no quintal quando eu era criança. Ele me dava uma almofada para colocar sobre o ombro, para que o coice da arma não deixasse marcas e mamãe não fizesse um escarcéu. "Lembre-se disso", ele dizia perto de meu ouvido, o hálito cheirando a cerveja, "o olho humano percebe movimentos antes de qualquer outra coisa."

Os trigêmeos haviam irrompido pelo quintal, como um bando de babuínos, e papai e eu fingíamos atirar neles, um por um, até que Iris apareceu na janela gritando "Parem com isso, seus trastes do caralho!"

Apertei a mão em torno das balas.

Era muito cedo para telefonar, e fazia pouco tempo desde a última vez. Mas se Iris atendesse, ela desligaria na minha cara de todo modo. Segurei o telefone com uma mão e as munições com a outra, tensa. O telefone tocou por muito tempo, e eu imaginei mamãe levantando da cama, vestindo a camisola e esfregando o sono dos olhos. Telefonemas em horários incomuns eram sempre más notícias; eu deveria ter esperado, ela ficaria preocupada. A voz que atendeu era grave e desconhecida, a voz de um homem. Por um segundo, pensei que papai continuava vivo afinal, que fora tudo uma mentira. Ele não atendeu com o costumeiro "Alô, 635?" de mamãe. Disse "Sim?"

Abri a boca e quase respondi.

O homem fungou. "Alguém aí?" Quando eu saíra de casa, os trigêmeos eram meninos pequenos. Agora, provavelmente, já não seriam. A voz limpou a garganta, houve o som abafado do fone sendo coberto por algo, como uma camiseta. Talvez fosse cedo o bastante para a casa estar fria, talvez ele vestisse uma jaqueta ou um moletom com capuz.

"Mamãe?", ouço-o dizer longe do fone, não muito alto, como se estivesse fazendo um teste, vendo quem estaria lá. "Iris?" Não houve resposta que eu pudesse ouvir. Sua voz voltou para mim. "Escuta, eu vou arranjar o dinheiro, ok? Mensagem recebida, alta e clara, vou ter a grana até o fim da semana. Por favor, não ligue para cá, isso não tem nada a ver com minha mãe – ela não está bem. No fim da semana, cara, eu prometo..."

"Quem diabos é você...?", ouço Iris ao fundo, bem próxima, e o fone é batido no gancho com tanta força e velocidade que escuto um estalo antes da linha ficar muda. Atrás de mim, a porta se abre e Lloyd coloca a cabeça para dentro.

"Acho que começou", diz, com o rosto pálido. O telefone toca e ambos olhamos para ele. Eu havia esquecido de ocultar o número de origem. Seu toque preenchia a casa. Eu nunca ouvira aquilo antes.

"Você vai atender?", Lloyd perguntou depois de seis toques. Balancei a cabeça. Dentro daquele fone, todas as coisas passadas. O ar quente esfumaçado, os pássaros. As pontas salgadas do meu cabelo quando ele caía em minha boca. Minha família.

Desliguei o telefone da parede e o silêncio foi instantâneo. Apoiei o rifle sobre o ombro, acenei para Lloyd e voltamos para o galpão.

O galpão de lã era um bloco escuro contra a colina. Lavei minhas mãos na tina, enquanto Lloyd seguia em minha frente. Eu podia sentir aquilo, a agitação percorrendo as ovelhas, uma sensação nova para algumas delas, a velha e conhecida dor para outras. O sibilar das folhas ao vento detrás do galpão, o grito de uma única ovelha. Eu senti aquele frio na espinha, como se algo me observasse do escuro. Estava prendendo a respiração, mas estava lá.

Na soleira da porta, respirei o esterco, o calor e o sangue do que estava acontecendo. Eu podia contar três se movendo, agitadas, uma com a cabeça para fora, contorcendo o lábio superior. Lloyd se agachou próximo ao curral dela e afugentou Cão. Sua barba fazia com que aquilo parecesse uma cena de presépio. Ele olhou para mim e deu de ombros.

"Não tenho ideia do que deveria fazer."

"Tudo bem, ela sabe o que fazer. Já aconteceu antes." No ano anterior ela tivera trigêmeos – uma menina e dois meninos. A menina agora revolvia o solo com os cascos, lá fora, esperando sua vez. Os meninos tinham ido com o açougueiro.

Caminhei devagar até ela, que se levantou e virou um pouco, como fazia Cão ao se ajeitar para deitar. A bolsa estourou com o movimento e ela se remexeu novamente, com uma expressão de espanto na cara, lambendo o chão que ficara molhado.

"Por Deus, o que é isso?"

"Seus líquidos", respondi.

Lloyd balançou a cabeça, descrente.

"Você pensou que ela botaria um ovo?"

Esperei até que a cabeça e as patas dianteiras estivessem visíveis e conferi os outros dois que se agitavam. Eu tinha a sensação de que poderia me deitar no feno com eles, uma aflição, só por um segundo, de estar dando à luz a alguma coisa, e então fui buscar o spray de iodo. Em breve haveria mais de nós.

Quando o primeiro cordeiro saiu, os outros já estavam completamente agitados, as patas da mãe batiam no chão buscando conforto, e o cheiro pesado de sangue e umidade quente. Desenrolei o cordão umbilical com minha mão enluvada, e então veio à luz um cordeiro macho, com sua irmã logo depois. A noite seguiu. Quando as coisas se acalmaram, quando o galpão ficou em silêncio, Lloyd serviu café misturado com uísque.

"Não fui de muita ajuda", ele disse.

"Eu me senti melhor com você perto", respondi e corei, porque não esperava dizer aquilo. Ele bebeu seu café e passou mel em uma fatia de pão para mim.

"Não acho que suas mãos devam estar muito limpas", ele disse e levou o pão até minha boca. Dei uma mordida, mesmo que não estivesse com fome. Na calmaria do ano anterior, eu correra para casa e havia dormido algumas horas. Agora, em vez disso, iluminei as ovelhas do lado de fora com uma lanterna. Contei-as e contei outra vez. Voltei para dentro do galpão e me sentei perto de Lloyd e Cão. Observamos os filhotes no brilho alaranjado do lampião.

"Você tem filhos?", Lloyd perguntou.

"Não."

"Nem eu."

Quando a primeira luz começou a banhar os campos, fui cortar os rabos dos cordeiros e marcá-los. Lloyd os segurou com uma mão sobre os olhos, enquanto eu fazia aquilo.

"Não é tão ruim assim", eu disse. "É como colocar um brinco na orelha."

Ele me encarou. "Como você sabe?"

Os cordeiros se contorciam enquanto eu perfurava a cartilagem. "Ele só está incomodado com o barulho", falei e dei a volta em Lloyd para chegar à cauda do animal. Coloquei a fita e empurrei o cordeiro de volta para o curral. Ele saltitava, tentando se livrar da sensação de estar sendo agarrado.

Quando terminamos, uma brisa matutina havia se esgueirado galpão adentro, e Lloyd encarava o vazio de seu primeiro cordeiro morto. Ele havia vindo à luz cinza e deformado. Coloquei um dos filhotes sob o corpo sem vida, e observamos enquanto a mãe empurrava o corpo para longe, com o focinho, e passava a lamber o nariz e a boca do que estava vivo. Ele soltou um balido abafado, com o rabo virado para baixo. Bocejei ruidosamente.

"Vá descansar", Lloyd falou, a voz áspera. "Eu aviso se algo acontecer." Cão estava parado vendo Lloyd observar o filhote morto. Meu pescoço doía.

"Vou tomar um banho rápido", falei. "Volto em meia hora."

Cruzando o pasto, por um momento o céu esteve azul, deixando as árvores com os troncos negros. Cheguei à porta de casa e olhei para fora. Aquilo ainda estava lá, fosse o que fosse, a sensação de algo se esgueirando pelo vale, esperando, e observando, e pronto a dar um bote.

Enquanto a banheira enchia, sentei-me na privada, ouvindo o som dos pardais, que haviam feito um ninho sob a janela do meu quarto, despertando conforme a luz enchia o céu.

A água ficara mais quente do que eu podia aguentar, e era impossível colocar a mão fundo o suficiente para puxar a tampa do ralo sem que ela parecesse cozinhar, então abri a água fria. Meus ossos doíam como um navio rangendo. Na hora em que a água ficou suportável, eu estava gelada e meus pés formigavam conforme eu os afundava. Enquanto entrava com o corpo todo, a água começou a transbordar para o chão, e quando tentei abrir o ralo perdi o equilíbrio e caí de costas, batendo a cabeça na banheira. Duas ondas se formaram, colidindo e espirrando pelo lugar inteiro. A água correu pelas reentrâncias do assoalho em uma linha reta, e apareceria como um risco amarronzado no teto da cozinha. Minha cabeça doía. Fiquei de olhos fechados e respirei pela boca, com medo do momento em que precisaria avaliar os danos. Maldito Arquimedes.

A porta de trás se abriu, no andar de baixo. Eu abri os olhos. Havia um pouco de sangue. Não era tão ruim, considerando o estalo que havia dado e o baque que eu estava sentindo, mas então vi que sangrava muito, e a água em volta dos meus ombros estava ficando fluorescente. Lá embaixo, era Lloyd. Era Lloyd lá embaixo.

Ele subiu as escadas. Não era ninguém além de Lloyd que vinha para dar notícias das ovelhas. Então Lloyd estava marchando escada acima, voando mais rápido que seus pés poderiam, como se tivesse mais de um par de pernas, e em um segundo ele cruzara todo o caminho do corredor até o meu quarto, e nem mesmo batera, e agora estava parado do lado de fora da porta do banheiro, respirando, e eu soube que não era Lloyd. Era alguma outra coisa. Manchas bloqueavam a luz por baixo da porta. Aquilo estava completamente quieto, ofegando profundamente. Eu não conseguia lembrar se havia trancado a porta do banheiro ou não. Prendi a respiração e aquilo parou de ofegar. Um golpe surdo acertou a porta, e derramei ainda mais água para fora da banheira, com uma dor aguda atravessando minha cabeça.

"Lloyd?", chamei. A chave na porta estremeceu, mas ela não se abriu, e o que quer que estivesse do outro lado recomeçou a correr, trombando novamente contra a porta conforme passava por ela, correndo cada vez mais rápido em volta do quarto. Ouvi as molas do colchão rangerem quando aquilo pulou sobre a cama, e então saiu do quarto, batendo a porta atrás de si. Continuou subindo as escadas, subindo e subindo escadas que não existiam lá, porque não havia nada acima do meu quarto, e então a casa ficou silenciosa, a não ser por um chiado baixo que saía de mim. A água estava fria, e eu já não tinha certeza de quanto tempo passara na banheira, não eram nem sete horas quando a enchi, mas lá fora estava claro e os pássaros cantavam. Ao longe, ouvi meu cachorro latindo, furioso.

Houve um estrondo alto e um homem disse "Santo Deus, mulher, o que você fez?"

24

Fora de Darwin, colho melões e pepinos com espinhos que furam minha mão e criam pus à noite. No sol, minhas cicatrizes ainda estão pegajosas e grudam na camiseta, relembrando-me de que continuam lá. Consigo fazer uns vinte dólares por dia, o suficiente para comer ou dormir, mas não para os dois, e dormir no albergue da juventude é lamentável. Lá é cheio de percevejos e, pior ainda, cheio de outros hóspedes que são todos mochileiros. São ingleses, canadenses ou escoceses, que eu pensava ser a mesma coisa que ingleses, mas na verdade são bem diferentes. Eles me assustam, esse pessoal com dreadlocks e facilidade de dormir perto de estranhos. Pensam que tenho a idade deles, por causa do meu tamanho, e um cara me convida para sair e vê-los apostando jogos de bebedeira. Quando digo que não tenho dinheiro, ele diz que me paga uma, então passo a noite assistindo a homens enfiando baldes de vinho goela abaixo, e os vejo passarem mal e vomitarem embaixo das árvores sob as quais eu às vezes durmo.

Uma noite, acordo no beliche do albergue com gosto de fumaça na boca, meu coração disparado e se revirando no peito. Fico parada até que meus olhos se acostumem com a escuridão, ouvindo os diferentes tipos de respiração e ronco que o pessoal no quarto tem. Quando me acostumo ao escuro, posso ver que o cara da cama de cima está com a cabeça para fora, observando-me, imóvel, sem fazer qualquer ruído, apenas me encarando com olhos que, no escuro, parecem negros e úmidos. Fecho os olhos e não me mexo até amanhecer, até ouvir o homem descer de sua cama e ir embora.

Economizo um pouquinho cada dia e consigo juntar o suficiente para comprar um saco de dormir usado, e chego à conclusão de que passar a noite sozinha na praia com o estômago cheio é melhor que o albergue cheio de gente maluca. Durante o dia, escondo o saco de dormir atrás de uma lanchonete fechada, dentro de um cesto velho. Colher frutas é um trabalho difícil e no fim do dia estou morta de fome, então é uma sensação muito boa poder pedir um hambúrguer de lula com fritas, sentar no meu saco de dormir e assistir aos morcegos voando por perto. Durmo bem, nessas noites, com o tempo quente e seco. Pela manhã, nado no mar.

Quando a estação começa a mudar, não há mais o que colher, e o pouco que economizei me dá o suficiente para a lanchonete e para uma maçã ou laranja por dia. Às vezes, o rapaz da lanchonete me dá algumas fritas também, porque diz que eu pelo menos permaneço limpa e não espanto os clientes. O que é algo bom, de certo modo, mas significa que ele pensa que sou uma moradora de rua. Considerando tudo, é uma definição bem acurada.

Minhas roupas começam a ficar rançosas – eu tinha três mudas de roupa na mochila, e lavar a que sobrou na água do mar não ajuda muito. Preciso abandonar minha mochila às vezes, quando saio procurando trabalho. Consigo um trabalho de limpeza, desinfetando os banheiros públicos da cidade. Ganho menos do que colhendo frutas, trabalho mais horas, e quando volto para minha mochila e roupas, alguém a colocou no lixo e já não tenho mais nada.

Minto para a mulher que me deu o trabalho, digo que tenho transporte próprio, e isso significa que passo a maior parte do dia andando pela cidade com um balde fedido de alvejante e o aromatizador de ar que, dizem, tem cheiro de pêssego, mas na verdade cheira a merda tanto quanto a pêssego. Preciso devolver o esfregão e o balde às sete da noite, todo dia, então às vezes preciso deixar de limpar um ou dois banheiros. Sei que eles fazem inspeção, por isso toda manhã fico desesperada pensando que eles vão descobrir. Cheiro muito mal, está impregnado em meu cabelo e em minha pele, e tenho certeza de estar com hálito cheirando a pêssego-merdal. O rapaz da lanchonete para de me dar batatas fritas, e eu paro de ir lá porque é constrangedor. Entro nas ondas, que parecem perigosas à noite e também muito frias agora, e aspiro água salgada pelo nariz, para tentar tirar aquele pêssego. Por aqui estão as águas em que os tubarões-baleia nadam nessa época do ano, os únicos tubarões de quem as pessoas sentem pena quando ficam presos em redes de pescadores ou encalham na areia. Penso nesses peixes enormes e sem dentes, então penso em seus parentes menores e dentados, e os imagino agarrando a minha perna.

Enquanto me ajeito nas raízes largas de uma mangueira, um homem me oferece trinta dólares para colocar o pau na minha boca. Parece algo tão simples de ser pedido, que vai levar tão pouco tempo. Ele me entrega quinze dólares e diz "Aqui, metade antes, metade depois", e tenho a sensação de o estar enganando. Ter uma língua e um buraco na minha cara significa que consigo fazer, em cinco ou seis minutos, mais do que um dia inteiro de trabalho fedido e cansativo nos banheiros. Ele segura meu cabelo e enfia o pinto com força, sufocando-me como se fosse um monte de algodão, e aperta mais os dedos em meu cabelo quando goza. É tudo bem rápido, e a única coisa ruim é que fico com aquela coisa na minha boca, e imagino que ele não vá me dar o resto do dinheiro se eu parecer estranha, então engulo tudo e sorrio para ele com uma expressão que espero ser agradável. O homem sorri de volta e limpa algo de minha bochecha. Guarda o pinto dentro da calça e leva a mão ao bolso. Entrega outros vinte dólares para mim e diz "Esse bônus é pelo sorriso simpático". E vai embora. Fico em um quarto privado no albergue, e passo quase a noite inteira acordada porque estou agitada pensando no que o dinheiro significa, mas também porque meu estômago está se contorcendo.

Poucas noites depois eu consigo outro, mas esse não é tão amigável quanto o primeiro e preciso colocar minhas mãos na base dele para evitar que meus olhos saltem, que ele quebre meu nariz contra seu corpo. Quando goza, parece ter um cuidado especial para que parte daquele negócio caia no meu rosto, parte no meu cabelo e também na boca. Eu não me incomodaria, mas esse só me oferece dez dólares e eu preciso esperar até de manhã para lavar os cabelos no mar, porque quando me aproximo da água, vejo gaivotas gritando e dando rasantes, e algo se alimenta sob a superfície. Ele deixa o dinheiro cair no chão e me lança um olhar extremamente decepcionado. Sequer liga para meu sorriso de boquete, apenas fecha as calças e vai embora.

"Obrigada!", grito para ele, preocupada por não ter sido polida o suficiente.

25

"Na pior das hipóteses", disse o médico, "foi uma concussão leve. Não beba, fique de repouso e logo você estará bem."

Lloyd riu e o médico olhou para ele.

"E você não deve ficar sozinha", disse. "É melhor garantir que seu marido cuidará bem de você." Deu uma olhada pelo local, pelas garrafas vazias e pratos sujos.

O silêncio que se seguiu à saída do médico foi pesado. Sentei no sofá e apoiei a cabeça nas mãos. Ela latejava, mas não estava doendo.

"Então, o que aconteceu? Você perdeu o equilíbrio sozinha ou estava desesperada por ajuda? Sinceramente, quando cheguei lá eu pensei que você tivesse se matado. Imagine a impressão que isso daria! Homem estranho aparece e arrasta solteirona para a morte."

"Havia alguma coisa na casa."

Lloyd olhou para mim, sorrindo.

"Alguma coisa?"

"A coisa que está fazendo aquilo."

Lloyd franziu o rosto. "A coisa que está fazendo aquilo?"

Apontei pela janela. "Eu ouvi, ela entrou pela casa, subiu as escadas e pulou na minha cama. Pensei que fosse você, mas não era."

"Bem, Cão estava comigo."

"Não era um cachorro. Nem era humano."

"Um cachorro não é."

"Acho que não era algo... daqui." Lloyd estreitou os olhos. Abriu a boca e a fechou em seguida.

"Olha, você teve uma concussão."

"Tem acontecido coisas por aqui", eu disse, e minha voz ficou embargada.

"Eu entendo – imagino que seja uma época difícil para uma fazendeira..."

"Eu não sou uma mulher histérica."

"Não, mas não vai ajudar em nada se você resolver que existem monstros na mata. Este é um lugar ermo, há uma porção de animais que você não conhece..."

"Eu conheço todos os animais." Meu rosto estava vermelho e quente, e de repente me senti envergonhada. Lloyd tinha as costas viradas para mim e a sala estava tensa.

"Você me viu pelada", falei, para quebrar o gelo. "Que tal?"

Lloyd olhou para mim e eu esperei. "Como se todos os meus pesadelos viessem de uma vez só. Você não pode beber", ele disse, servindo-me uma dose de uísque.

"E eu preciso ficar de repouso."

Ele me entregou o copo. "Você não vai me deixar sozinho com aquelas ovelhas."

Fiquei de pé, testando meu equilíbrio e conferindo a bandagem em torno da minha cabeça. "Estou bem."

"Você parece louca", Lloyd falou e virou sua bebida.

Lloyd caiou os currais vazios enquanto eu dava remédio aos cordeirinhos.

"E agora?", perguntou. As partes visíveis de seu rosto, entre o chapéu e a barba, mostravam ansiedade.

"Ficamos de olho", respondi.

"Quanto tempo demora até irem para o mercado?"

"Shhh", fiz para ele, e me virei. "Até eles estarem prontos." Houve um silêncio longo, preenchido apenas pelos ruídos de Lloyd revirando os currais e pelo eventual balido de alguma baia ocupada.

Uma ovelha com três filhotes não se preocupa com o menorzinho deles. Ele se esforçava para chegar perto da mãe, mas era afastado pelos outros dois. Depois de um tempo, ficou chorando sozinho. Peguei-o na mão e ele não resistiu, então o envolvi em um cobertor e o entreguei a Lloyd, enquanto pegava uma garrafa. "Não sei se ele vai conseguir", disse a ele.

"Por que tudo isso é tão triste?", perguntou. Acariciou a cabeça ossuda do animal e o cordeirinho se aninhou contra o casaco, procurando por uma teta.

De volta à casa, enrolamos o cordeiro em uma coberta e o deixamos na cama de Cão, perto do forno, trancando o cachorro no quarto de Lloyd. Ajustei o alarme do forno para que acordássemos na hora de alimentar o filhote, e Lloyd foi à sala de estar acender a lareira. Sentamos no sofá, observando as chamas.

Ouvia-se apenas o tique-taque vazio do relógio na cozinha. Minha cabeça coçava sob o curativo, mas não havia mais forças em meu braço para coçá-la.

Uma batida na porta.

Don estava com Samson à sua frente, que havia tomado um banho desde a última vez que eu o vira. Então Marcie saiu das sombras, abraçando os próprios ombros e parecendo constrangida.

"Encontrei esses dois perto do galpão", Don falou.

"Fazendo o quê?"

"Incomodando." A expressão de Don era séria. Ele deu um pequeno empurrão em Samson, que tropeçou em direção à porta. Marcie entrou também, e Don fechou a porta atrás de si.

"O que vocês estavam fazendo?", perguntei, olhando para Samson. Ele encarava o chão.

"Estávamos apenas olhando os filhotes, só isso", Marcie respondeu.

"Vocês machucaram algum deles?"

"Não!" Ela gritou, desconcertada, mas Samson continuava quieto.

"Ele estava com acendedores e fósforos", Don falou. O rosto de Samson pareceu inchar um pouco, com uma vermelhidão sob os olhos como se ele tivesse apanhado.

"Nós só estávamos..."

Don interrompeu Marcie. "Cala essa matraca, eu não quero ouvir isso."

"Por favor, não conte a meu pai", ela disse em voz baixa e começou a chorar. Samson estendeu a mão até ela e segurou seu dedinho. Todos nós olhávamos.

"Samson", falei, calmamente, "o que vocês estavam fazendo lá – o que vocês pretendiam com esses acendedores?"

Ele ergueu os olhos, e eu vi, de repente, o mesmo rosto velho de Don, e senti pena.

"Fomos lá só para ver os filhotes. Só isso. Íamos acender uma fogueira – do lado de fora – e sentar em volta, para olhar as ovelhas. Mantê-las em segurança."

"Em segurança contra o quê?" perguntou Lloyd, mas Samson não respondeu, apenas mordeu o lábio e olhou para mim, mantendo o olhar até que Don deu um tapa em sua nuca.

"Vamos, responda o homem", resmungou.

"Está tudo bem, Don", eu disse. Marcie fungava e limpava o nariz com as costas da mão. Os olhos estavam manchados com maquiagem. "Não aconteceu nada."

Quando eles foram embora, com Don os escoltando e dizendo a Marcie que a levaria para casa, que teria uma palavrinha com seus pais, e Samson segurando seu dedinho durante todo o trajeto, sentamos à mesa.

"Deus todo-poderoso, o que você acha que eles iam fazer?", perguntou Lloyd.

"Acho que eles iam acender uma fogueirinha para sentar em volta e se manter aquecidos enquanto cuidavam das ovelhas. Acho que eles poderiam ter fumado uns cigarros, tomado umas cervejas e transado um pouco."

"Você mudou. Cadê aquela história das crianças estarem fazendo picadinho das ovelhas?"

"Acho que Samson viu aquela coisa."

"Viu o quê?"

"A coisa lá fora que está pegando as ovelhas."

"A raposa?"

"Não é uma raposa."

Houve um silêncio prolongado.

"Tenho a sensação", Lloyd disse, "de que você está realmente cansada."

O alarme do forno começou a soar.

26

O velório de Flora Carter reúne todas as pessoas da cidade, menos seu pai. Lotamos o píer, e eu o imagino rangendo e desabando, jogando todos na água. Hay Carter está sozinha, um vácuo em volta de si, e tudo que consigo pensar é que nunca a vi de preto antes. Sempre roupas rasgadas e regatas com a alça do sutiã aparecendo. Hoje, nada está à mostra, ela é engolida pelo vestido preto, sem corpo, apenas os pés aparecendo sob a barra, saltos que darão trabalho ao voltar pelo píer, que vão se prender nas rachaduras da madeira frágil e gasta pelo sol.

 As pessoas dizem coisas diferentes a respeito de Flora. Algumas cantam a música do filme *Titanic*. Os trigêmeos se agitam perto de mim, cochicham uns com os outros até que Iris dá um cascudo na cabeça de um deles, que ficam quietos de novo. Não ouço qualquer palavra, mas escuto o barulho da coroa de flores atirada na água. Vejo a mãe de Denver observando, perto das árvores. Acho que nossos olhares se cruzam. Ela dá três passos lentos para trás, para o meio dos arbustos, e para. *O olho humano percebe movimentos antes de qualquer outra coisa.*

Em casa outra vez, mamãe serve uma taça de vinho, sem se preocupar em fazer almoço para os trigêmeos, que se atiram contra os armários procurando comida. Iris já está no andar de cima, longe de nós todos. Eu me debruço sobre a mesa da cozinha com mamãe, e meu pai abre uma cerveja, ficando de costas para nós.

"Se aquele moleque acordar", ele diz, "vai tomar um susto desgraçado." Olho para ele, para os pulsos, seu quadril e para o chapéu caído sobre os olhos. "Steve Warren disse que colocaram segurança constante, para o caso de alguém querer fazer alguma coisa." Vira para nós e bebe um gole da cerveja. "Imagino que eles possam fazer uma coisa boa." Mamãe lança um olhar cortante.

"John! Não fale essas coisas."

"Se fosse minha filha, morta e enterrada, ia ser preciso mais que dois policiais para me impedir de pegar o vagabundo." Quando fala a palavra "filha", meu pai coloca as mãos em meus ombros.

"Não seja ofensivo na frente das crianças."

"Vagabundo?"

"Eles não sabem se foi ele quem fez aquilo", falo calmamente. Mamãe e papai param de discutir e olham para mim.

"Jake. Não seja do contra – eles o encontraram no lugar em que o fogo começou, e supõem que ele esteve atrás de Flora todo o tempo. Quem sabe o que terá feito a ela antes do incêndio? Muito provavelmente cobriu as evidências."

"Ele não faria isso."

"Você não sabe de nada." Mamãe fala com uma rispidez que parece surpreendê-la, e se levanta da mesa para ir à lavanderia, deixando o vinho para trás.

Pelo que ouvi dizer sobre comas, você ainda pode ouvir, mesmo que não possa se mover. Fico pensando se Denver está deitado ouvindo todas aquelas pessoas falando no que vai acontecer com ele, caso acorde, e se ele não preferiria morrer em vez disso.

Sigo a trilha chamuscada até a praia, mas faço o caminho maior para não passar pelo lugar em que vi Denver pela última vez. Paro quando encontro um vombate[1] no chão, inchado e caído de costas. Parece que alguém o queimou com um maçarico, ele está completamente sem pelos, e a pele carbonizada se descama inteira. Ele dá a impressão de que vai estourar caso eu o cutuque com o pé. Faço isso, mas ele não estoura. Há um cheiro nos arbustos, como se tudo estivesse prestes a começar de novo, e eu sei que não deveria estar ali. As árvores não me querem naquele lugar, as estacas negras detrás das quais pequenas pilhas de cinzas poderiam ser os restos das tocas de animais. Não há sequer um passarinho para cantar, nenhuma cigarra ou grilo, nem mesmo um mosquito para zunir no meu ouvido. Na praia, um negrume mancha o mar e a areia, com cinzas rolando nas ondas e corpos de aves mortas encalhados na beirada. As moscas são as únicas que conseguiram sobreviver a isso, e voam em enxames conforme passo pelos corpos que devem ter caído do céu. Alguns deles estão perfeitos, um kookaburra, um beija-flor, um pássaro-cetim.

Esta não é uma boa época para nadar porque os baleeiros chegam perto da costa por causa das cavalas. Puxo o barco para a água e ele cria sulcos na areia, e imagino que esse possa ser o último sinal que terão de mim, profundas e largas pegadas na areia e a força surpreendente de uma menina

---

[1] Marsupiais quadrúpedes com cerca de um metro de comprimento, encontrados na Austrália.

de quinze anos. Remo até passar os recifes e solto a pequena âncora, sentindo-a prender e o barco girar em círculos. Ninguém consegue me ver aqui, então tiro a camiseta. Coloco os óculos de mergulho, que incomodam meus olhos porque são pequenos demais, e ajeito o snorkel ao lado da cabeça, levando-o à boca. Sento de leve sobre a borda da embarcação, como os mergulhadores fazem, pensando que vou cair de costas na água, mas o barco quase emborca e eu acabo pulando como uma maluca. A água é quente e limpa. Peixes-manteiga nadavam de um lado para o outro, entrecruzando-se. Mergulhei até o fundo do mar. Não é muito fundo, não aquele fundo de azul-escuro profundo que daria medo. O solo é arenoso e macio, e quando pego a areia branca na mão, ela se espalha pela água à minha frente como ouro e prata, flutuando feito uma nuvem nas ondas. Camarões com bigodes compridos andam pela água em torno de mim, e quando olho para cima, posso ver um bando de aves com tanta clareza que meus óculos se embaçam. Os tubarões nadam com a urgência do gelo que derrete. Não há agitação, não há gengivas à mostra ou dentes rasgando a carne crua, nem olhos se revirando e nuvens de sangue tomando a água. Tenho apenas alguns instantes antes de precisar subir para respirar, de ter que nadar por entre eles, mas não me movo pelo que parece ser uma eternidade, não até que meus olhos pareçam estar sangrando por causa da pressão. Deixo o ar sair uma bolha por vez. Quietos, eles se alimentam assim, às vezes investindo para a frente a fim de engolir um peixe pequeno, quase sem abrir as bocas enormes, como que tomando sopa de uma colher. Cantam uns para os outros – é apenas a pressão nos meus ouvidos, a necessidade de respirar, claro que é, mas consigo ouvir um som agudo, um barulho como se o ar escapasse de um balão, e imagino que são eles cantando. Quando a última bolha de ar sai de minha boca, deixo meu corpo boiar até a superfície, ficando cara a cara com dúzias deles, que não dão a mínima, não me querem, e apenas nadam em um círculo mais estreito na hora em que estendo a mão para tocar um deles, nadam se estreitando e depois disparam para longe. Quando chego à superfície, respiro ofegante, e uma dor aguda me atinge a têmpora, pontos pretos surgindo e desaparecendo em frente a meus olhos. Só agora, olhando para baixo, é que me sinto apreensiva, e vejo o quão longe do barco estou, não tendo mantido os olhos em sua sombra, e me atiro por sua borda, com aquelas aves grandes sob mim, observando-me como eu as observei, ouvindo as batidas do meu coração, a bagunça que fiz na água quando emergi. Uma delas roça meu pé gentilmente, mas não o bica, e é isso, quando puxo o corpo para dentro do barco, um minúsculo roçar, e deito no convés com os piolhos-do-mar pulando, sentindo-os embaixo de mim, e tenho a sensação de que nada mais importa de verdade. Quando fecho os olhos, vejo pessoas sombrias com os olhos carregados e as bocas vermelhas, e sei que vou visitar Denver e convencê-lo a acordar.

Os ônibus estão circulando, principalmente os trazidos de fora da cidade, pois a rodoviária pegou fogo. Há pessoas à bordo que não são dali, que se confundem com o troco e não sabem onde ficam as paradas. Os carros são parte do problema, ouvi diversas vezes, de formas diferentes, por causa das explosões, da partida. O ônibus está lotado, e as uvas que comprei no mercado estão amassadas contra minha camiseta. Espero que não tenham caroços. Olho por sobre o ombro de um velho que assoa o nariz em um lenço branco, e o que sai dele é preto. O homem encara aquilo por um momento antes de dobrar o lenço e colocá-lo de volta no bolso. Aquilo está dentro de todos nós.

Conforme deixamos a cidade, a fumaça se torna menos densa, mas ainda cobre minha vista, ainda incomoda. Um monte de gente desce comigo no hospital. Ninguém conversa muito. Fico pela recepção tentando descobrir onde encontrá-lo. O lugar parece um labirinto. Não quero perguntar para um recepcionista, então acabo seguindo as placas até o "Centro de Queimaduras". É horário de visitas, e lá estão as pessoas sem cabelo, cheias de flores em volta das camas. Uma senhora tem um curativo sobre um olho, e um médico está parado perto dela, enquanto seu marido segura nervoso a sua mão. *Incrivelmente sortuda*, é o que o médico está dizendo, e por detrás da bandagem, a senhora sorri. Denver não está lá, e caminho pelos corredores agonizantes me sentindo perdida.

Um policial está sentado na porta de um quarto, e é assim que descubro onde ele está. O policial é amigo de papai, já os vi no pub juntos, mas não sei seu nome. Ele acena para mim com uma expressão confusa quando o cumprimento.

"Vim ver Denver", digo, e ele pisca.

"Sem visitas, sinto muito. Apenas familiares – como se eles fossem vir." Mexo as pernas. Os olhos do homem recaem sobre as uvas. "Ele não pode comer, querida", diz. "Ele não vai poder comer nada, nunca mais – não tem mais garganta."

Como alguém pode não ter mais garganta?, penso – deve ser força de expressão. Como a cabeça estaria ligada ao corpo?

"Acredito que ele encontrou a própria punição, ficando em um estado como esse – sem pálpebras, sem lábios. Sem pele suficiente para vê-lo além do enxerto."

Sinto um peso no estômago. "Por favor", peço. Não tenho certeza do que estou pedindo, mas parece surtir efeito no homem. Ele me olha de soslaio.

"Você é a filha de John Whyte." Faço que sim, e ele suspira. "Olha, vou partir do princípio de que você é legal como seu pai. Preciso ir ao banheiro, e enquanto eu estiver fora você pode fazer o que quiser, apenas não toque nele." Pega um jornal sobre o qual estava sentado. "Deixe essas uvas do lado de fora, e lembre-se – eu sei exatamente quem é você." Enfia o dedão no cinto, "E se alguma enfermeira aparecer, eu não a vi."

Deixo as uvas sobre a cadeira vazia. "Obrigada", digo.

Ele se afasta, seus sapatos rangendo no assoalho. Abro a porta do quarto de Denver, onde ele está envolto por uma proteção de plástico, como uma cabaninha. Há um cheiro no quarto, ao mesmo tempo familiar e tão estranho que o ar para em minha garganta – a fritadeira.

Uma máquina bombeia ar para o corpo dentro do plástico. O som é calmo e regular, um chiado constante. Consigo apenas ver partes do corpo de Denver, pedaços rosa enegrecidos em meio às bandagens. Se ele estiver acordado, queria saber o que pensa disso, essa nova realidade das coisas, sem braços ou pernas para usar, apenas carne, cozinhando enquanto ele fica deitado ali dentro, encarando o teto através da tenda. Minha boca está completamente seca. Há um ruído minúsculo dentro da tenda, como um guincho, o barulho de gordura respingando em uma frigideira. A coisa sob o plástico está viva, e esfrego as mãos em meus quadris enquanto me aproximo.

"Denver?" Fico esperando uma resposta que não vem. "É Jake." Em algum lugar, uma série de sinais toca. A bomba leva ar a ele. "Vim dizer que sinto muito." Aproximo-me mais e tento não olhar seu rosto. Seus olhos estão cobertos com curativos de algodão, então ele nem mesmo pode encarar o teto, mas estou feliz por não precisar ter contato com os olhos descarnados. No buraco úmido de sua boca, há um tubo grosso de plástico. É impossível dizer quais tubos carregam urina, pus ou remédios, porque todos têm a mesma cor de detergente. Respiro pela boca, para evitar o cheiro, mas ainda assim sinto aquele gosto.

"Não sei se você pode me ouvir", falo como eles fazem na TV. "Só quero dizer que eu não queria que isso acontecesse." Faço uma pausa longa, como se ele pudesse responder. Não consigo mais lembrar o que eu esperava que acontecesse. "E quero que você saiba que, se acordar, vou contar a eles que fui eu, não vou deixar que machuquem você." Quando ensaiei em minha cabeça, aquilo havia soado tão heroico. Mas, na minha cabeça, Denver ainda tinha um corpo inteiro, talvez com algumas cicatrizes, talvez mesmo com uma máquina de oxigênio para inalação. Ele não era essa ferida aberta de carne úmida. "Sinto muito", digo outra vez. "É tudo minha culpa, nunca pensei que sairia do controle daquele jeito. O fogo..."

"O que você quer dizer com 'é tudo minha culpa'?" Atrás de mim, na porta aberta, estavam uma enfermeira e um policial. Passei direto por eles e segui pelo corredor.

"Ei", chamou o policial, mas não me seguiu. Olhei para trás e ambos estavam parados, olhando.

"Quem é aquela?", a enfermeira perguntou.

"Conheço seu pai", foi a resposta do policial.

Por uma hora, ando pela rua principal enegrecida, as pessoas se viram para olhar para mim, de um jeito que eu não consigo entender. Tento sorrir de volta a algumas delas, um tipo de sorriso simpático, que talvez fosse apropriado, mas elas se viram quando faço isso. Existe um silêncio no olhar de tantas pessoas. Ninguém faz perguntas. Ninguém diz nada, ficam apenas olhando, todos me vendo. E todos eles olhando com aquele olhar quieto.

O correio, o pub e a cooperativa estão bem, mas a peixaria foi destruída, e posso ver seu dono sentado do lado de fora, no capô do carro, o olhar perdido. Não há ninguém para ajudá-lo, porque todos estão ocupados com seus próprios problemas. Ele deve ter sentido que eu o olhava, porque se virou para me encarar. Coloco as mãos fundo no bolso dos shorts e mantenho a cabeça baixa. Penso tê-lo ouvido gritar alguma coisa, mas provavelmente não gritou, provavelmente ninguém ouviu. Não olho para trás. Viro na rua que me leva de volta para a praia. Em algum lugar ouço o ruído de um walkie-talkie, escuto meu nome ao vento.

Sigo para longe, bem longe daquilo que me preocupa, penso somente em como vou ficar sentada na praia por um tempo, então vou voltar para casa e lá vou dormir, e na manhã seguinte vou conseguir pensar direito outra vez, vou acordar uma pessoa nova e melhor, e serei capaz de pensar com clareza na semana que passou, em Flora, em Denver, seus pais e a cidade. Caminho com pressa e logo, no calor abafado, estou de volta à praia, no lugar com as dunas de junco onde os siris espiam com a cabeça para fora de suas tocas, os bigodes apontados para você, mas hoje, não importa quão quieta eu fique, nenhum deles aparece na areia. Não há nada a temer, nada será encaminhado do jeito que deveria, e eu ainda não estou pensando com clareza.

Ouço galhos se quebrando atrás de mim, mas os ignoro. Seis ou sete homens e uma mulher chegam na praia. Não me movo. O olho humano. Se eu me mover, o que vai acontecer? Se eu me mover, sou culpada. E permaneço quieta até que possa ver quem são eles, caminhando com uma intenção clara, todos eles. Um dos homens é Andy Carter, e sinto o estômago se revolver. A mulher cuida da padaria. Lembro dela de quando eu era pequena, dando docinhos passados para as crianças, quando voltávamos da escola. O homem dos peixes está com eles, com o mesmo olhar que me dera meia hora antes. Os outros rostos eu reconheço, mas não o suficiente para saber seus nomes – nunca estive interessada o suficiente em aprender o nome desse pessoal. Continuo parada, como uma lebre. Meus shorts têm a cor da areia, minha camiseta é verde, eles não vão me enxergar se eu ficar parada. Mas percebo no olhar de Andy Carter que ele me viu, e prendo a respiração enquanto penso em um plano de fuga. No último momento, levanto dali e corro. Há um berro às minhas costas, um grito da mulher da padaria, e pela terra eu posso sentir que eles estão atrás de mim. Se eu conseguir chegar ao promontório, posso me esconder até conseguir pegar meu barco e sair dali. Sou uma boa corredora para minha idade, sou alta e tenho as pernas compridas.

Alguém me derruba no chão e fico completamente sem ar, e não sobra fôlego em mim para dizer que sinto muito, que foi um acidente, há apenas um estalo vindo de meu peito, e minha camiseta sendo puxada por cima de minha cabeça, minhas pernas e braços esticados e presos pelo peso de corpos, e de repente sinto a dor escaldante, o som dos berros e ondas e o ganido constante de minha própria voz sobre o som de uma vara cortando o ar e batendo, batendo em minhas costas. Eu me contorço como uma enguia na areia, e vejo Andy Carter, seu rosto vermelho tomado de fúria, e vejo o homem da peixaria com uma expressão menos segura, mas ele diz "Deixe-o ter sua vez e depois vamos embora". A mulher da padaria olha para o mar, desviando o olhar daquilo tudo, e coloca as mãos sobre a cabeça. Sou jogada novamente de bruços pelo peixeiro e pelos outros homens sem nome, e apanho novamente, e a cada vez que sinto a carne sendo retalhada, sinto-me um saco de carne como Denver, estraçalhada, e aberta, e não mais humana.

Minhas mãos se enfiam na areia, procurando refúgio, e são como as garras rosadas de uma cacatua.

De outra parte da praia alguém grita, um grito rascante, e a vara para. Tenho nos pulmões apenas o ar suficiente para gemer baixinho quando respiro. Meu rosto está atolado na areia, e com um olho sou capaz de ver Andy Carter sendo pressionado contra o chão por outros quatro homens, que o fazem parar. Meus ouvidos ressoam como os pássaros, tenho um choro em meu peito.

27

Acordei no susto, e Cão estava parado aos pés de minha cama, as orelhas levantadas. Lá fora, nos campos, parecia haver uma briga de cachorros. Eu não podia ver nada através da janela embaçada. Abri o vidro, peguei a lanterna na mesa de cabeceira e iluminei lá fora. Algo gritou e o facho de luz iluminou uma forma negra, apenas por um segundo. As ovelhas eram borrões brancos no canto do pasto, amontoadas. O barulho ainda estava ali, gutural, e as ovelhas berravam.

"Mas que caralho." Vesti os jeans sobre a roupa de dormir. Cão continuava parado, os olhos arregalados e a cauda estirada. Agarrei a arma no armário e bati a porta do quarto atrás de mim, para que Cão não me seguisse, corri escada abaixo e dei dois tapas na porta do quarto de Lloyd, antes de seguir para a porta da frente e enfiar as botas depressa. Ouvi Cão latindo e arranhando a porta no andar de cima, o som de Lloyd saindo do quarto, e então me atirei no escuro, correndo às cegas.

Eu largara a lanterna quando peguei a arma, mas atiraria em qualquer coisa que aparecesse, qualquer coisa que viesse salivando e com as presas à mostra no escuro. Empunhei a arma à minha frente, para o caso de trombar contra uma árvore, e na hora que cheguei à cerca, pude ver aquela forma correndo em volta do aglomerado de ovelhas, que berravam distantes de mim, paradas, e a forma era maior e mais larga que um homem, mas desapareceu quando tentei mirar, quando tentei olhar com atenção. O barulho continuou me guiando, permitindo que eu o seguisse, ofegante, profundamente carregado e se arrastando em um ganido. Por um instante, pude vê-lo, e entendi o que era aquilo, embora ele também tivesse se virado para me encarar, então atirei, e as ovelhas debandaram. O som dos pássaros alçando voo no meio da mata. Ouvi alguém chamar meu nome, e Cão guinchando na janela do meu quarto – minha cabeça latejava tanto que sentei sobre a grama úmida e a apertei contra o chão.

Um facho de luz se agitou de longe, e eu vi as cores do Natal, o verde da grama e o branco da lã, a mancha vermelha e o vapor subindo.

Lloyd colocou a mão sobre meu ombro. "Você está ferida?", ele disse, e sentei novamente, esfregando meus olhos, deixando-os cobertos por minhas mãos.

"Atirei em alguma coisa", respondi, ainda que tivesse pouco fôlego com que falar.

Ele pegou minha arma e seguiu sozinho pelo campo. Por entre o choro das ovelhas e o lamento de Cão no quarto, veio um disparo.

Ouvi Lloyd voltar se arrastando de volta pelo campo e comecei a sentir o orvalho frio contra o calor do sangue. Quando apontou a lanterna em minha direção, fiquei sem conseguir enxergar mais nada, sem poder ver seu rosto, mas podia dizer, por sua respiração como a de um cachorro velho, que aprontara algo, que ele havia feito algo de que não gostara nada.

"Era uma ovelha. O tiro pegou no pescoço. Eu a sacrifiquei." Ele desarmou a espingarda, tirou dela os cartuchos de bala e os guardou no bolso, como se estivesse acostumado com isso.

28

Mantenho-me de costas para o incêndio e caminho devagar. Ele se estende por toda a borda da cidade. A porta dos correios está aberta, sem ninguém dentro. No pub, decidiram cerrar as portas. Posso imaginar alguém entrando lá e bebendo todo o estoque enquanto o mundo queima ao redor. O cheiro é de churrasco e eucalipto, e o barulho é um rugido que se sobrepõe a qualquer coisa.

A rua principal está vazia, a não ser pela fumaça, tão densa que não sou capaz de ver o fim da rua, onde a pista se bifurca desde a peixaria até minha casa. Um pademelon[1] salta detrás de um carro estacionado e nos encaramos. Suas orelhas estão coladas à cabeça, e os olhos são reluzentes. Ele espirra e se enfia embaixo do carro. Há cada vez mais animais chegando – um canguruzinho, protegido das cinzas quentes sob a porta da padaria, atira-se pela rua para

---

[1] Gênero de marsupial australiano, muito similar ao canguru, mas menor.

se esconder na sarjeta. Um goanna está parado, observando-me passar. Por trás das lojas no fim da cidade, posso ver que o incêndio já cobriu tudo, e olhando novamente para a rua principal, de onde vim, vejo um canguru saltando em pânico, atravessando a pista para fugir de um foco de incêndio que começara ali, no asfalto, onde nada deveria se incendiar. Há um zunido no ar. As pessoas costumam falar do urro que um tubarão faz quando sai em seu encalço, o som monstruoso, faminto por sua carne e ossos.

Quando chego em casa, meus braços estão negros de fuligem e meus olhos ardem. Um botão de metal em meus shorts queima minha cintura, e a pulseira de plástico de meu relógio está mole. Não há ninguém em casa.

Alguém pegou a mangueira e inundou a grama morta do jardim na frente de casa, e molhou as paredes. A mangueira ainda está aberta. Sento-me nos degraus da entrada, e as cinzas caem por todo o lugar. Focos de incêndio, demônios saltitantes, surgem do meio do rugido. Esta é minha casa, penso, aqui é onde nada pode me ferir. Não há mais ar fresco, então vou para dentro. Assim que a porta de tela bate atrás de mim, meu coração dispara. Tenho noção, pela primeira vez, do que está acontecendo. Tento lembrar das instruções de incêndio da escola, e tiro do armário as toalhas e lençóis que mamãe guardou ali. Começo a encher a banheira e jogo as coisas dentro. No andar de baixo, abro a torneira da cozinha, encho o balde de limpeza e vou buscar as toalhas na banheira, usando-as para tampar as frestas da porta da frente. Os lençóis eu uso para cobrir as janelas, e guardo um para me enrolar. A água parou de cair no balde, apenas algumas gotas continuam. Então é isso, essa é a água que tenho. Enquanto penso, uma árvore desaba nas proximidades e soa como se alguém estivesse abrindo caminho à força pelo meio dos arbustos, em minha direção.

Abro o congelador e vejo dois sacos de gelo para os daiquiris de mamãe, além de alguns blocos de gelo para piqueniques. Tiro-os dali, mas não tenho certeza do que fazer com eles. Arrasto a toalha do chão na porta da frente e a abro, pensando em espalhar o gelo pela varanda, mas lá fora tudo está negro, como a parte morta da noite. Acima de mim, onde deveria estar o céu, vejo uma vermelhidão e o gelo em meus braços começa a derreter, como se eu o segurasse embaixo da água quente. Meus olhos doem e sinto cheiro de cabelo queimado, então fecho a porta e coloco novamente a toalha sob ela, guardando o gelo derretido de volta no congelador. Sigo para o quarto dos trigêmeos com o balde, cheio apenas até a metade. O quarto tem uma janela pequena que abre para o telhado e foi pregada para que eles não caíssem dali para fora. Já posso ver brasas caindo sobre o telhado e começando a chamuscá-lo. Arremesso a Mágica Bola 8[2] pela janela, limpando os cacos que sobram com uma arminha de brinquedo. Posso sentir o ar sendo sugado para fora do quarto, e derramo o balde sobre as brasas no telhado. Mas ainda há o outro lado, e lá não consigo alcançar. Ele vai precisar se virar sozinho, porque já está quente demais para que eu possa fazer qualquer coisa. A fumaça entra pela janela quebrada, então fecho o quarto e uso a toalha que estava guardando para me cobrir para colocá-la sob a porta. No andar de baixo, outra janela se despedaça e consigo ver a cortina pegando fogo. Aperto-a entre dois sacos de gelo e ouço um silvo, como o de uma

---

2   Magic 8 Ball, brinquedo que imita uma
     bola de bilhar e serve para ler o futuro.

serpente morrendo. O óleo na fritadeira começa a esquentar sozinho, e o lugar cheira a minha casa mais do que nunca. A casa começa a balançar, como se fosse encoberta por uma onda gigante. Os copos tremem dentro dos armários e uma moldura, com a foto de meus pais tirada no quintal, cai da parede e quebra o vidro. Subo as escadas e entro na banheira, que tem um quarto de água, e fecho os olhos.

29

Lloyd me agarrou pelo pulso e me ajudou a levantar, e na hora em que eu ia começar a reclamar, dizendo que podia fazer aquilo sozinha, percebi que não podia.

"O corpo", eu disse.

"Eu dou um jeito."

Sentei na cozinha, tomando água quente e ouvindo os sons dele com o carrinho de mão, indo e voltando do campo. Cão se enrodilhou em volta de meus pés e tremeu, e acariciei suas orelhas.

"Desculpa, querido", falei a ele, calmamente. "Sinto muito."

Lloyd voltou para dentro.

"Escuta", eu disse, "quero trazer as ovelhas para cá."

"Para onde?", ele respondeu, sentando devagar de frente para mim – imaginei se ele não teria dado um mal jeito nas costas.

"Para cá. Até encontrarmos aquilo."

"Para cá – na casa?"

"Sim – até encontrarmos aquela coisa. Ela está ficando mais atrevida."

Lloyd olhou para mim por um longo tempo.

"Esta é sua casa", falou, "e aquele é seu rebanho. Mas não vou deixar que faça isso."

"Eu preciso protegê-las de algum modo", falei, mas mesmo assim eu sentia que não poderia vencer a discussão, que não conseguiria fazer aquilo sem ele. Pensei na ovelha em quem atirara e deitei a cabeça sobre a mesa. Cão apoiava o focinho em meu joelho, e Lloyd serviu uísque a nós dois, mas afastei meu copo.

Algo havia feito um ninho do lado de fora da janela, e cantava alto, *Chip, chjjjj, chewk, jaay and jaay-jaay, tool-ool, tweedle-dee, chi-chuwee.* Devia ter sido eu a sacrificar aquele animal, ela devia ter morrido pensando que tudo ficaria bem. *Tool-ool, tweedle-dee, chi-chuwee.* Eu me perguntava se as outras ovelhas saberiam que tinha sido eu.

"Café, então?", Lloyd falou.

Fez um bule e o colocou sobre a mesa, derramando um pouco, só algumas gotas. Pegou duas canecas. Colocou sobre a mesa o açúcar e uma colher, e voltou a sentar.

"Você acha que estou louca?", perguntei. Ele não respondeu. Em vez disso, esticou-se e colocou a mão sobre a minha, por um tempo. Então colocou três colheres de açúcar na caneca e a encheu de café, mexeu e a entregou para mim. Precisei segurá-la com as duas mãos, porque meus braços tremiam.

"Onde estão os cordeiros?", eu quis saber, olhando para a cama de cachorro vazia perto do forno. Ficamos os dois à escuta, mas não havia nenhum outro som pela casa.

30

Fico espiando Denver Cobby, o menino meio aborígene, um ano mais velho que eu na escola. Ele está fora dos portões, fumando e conversando com outro menino. Não se importa que alguém o veja, e por isso os professores já nem tentam repreendê-lo. Ele é descolado assim. Finjo estar realmente interessada na pedrinha que tenho nas mãos, como se ela fosse de um tipo interessante, ou algum fóssil, quando Hannah e Nerrida se aproximam e começam a me encher.

"Como vão as coisas, homo?", Nerrida pergunta, mas não olho para ela. Talvez elas vão embora se eu as ignorar.

"Ei!", grita Hannah. "Estamos falando com você." E finjo ter encontrado algo mais interessante que elas, em minha pedra. Hannah joga o cabelo para o lado. "Puta estúpida", ela fala. "Sua irmã também se acha superior – mas pelo menos ela tem colhões."

Nerrida bate em meu braço e a pedra cai pelo meio de minhas pernas, quicando no chão. Agora não tenho mais nada com que desviar minha atenção. Já vi Nerrida incomodar outras garotas antes. Sua irmã mais velha tem uma cicatriz na bochecha, onde ela enfiou a unha uma vez.

"Olha para mim quando eu falo com você", ela diz e agarra meu rosto com os dedos, virando-me para ela até que eu a olhe. "Sapatão de merda", ela diz, e alguém grita "Deixem a menina em paz, porra", e as duas se viram com o olhar de que vão matar alguém, mas então veem que foi Flora Carter quem falou, e Nerrida tira a mão do meu rosto.

"A gente só tava brincando", resmunga Hannah, mas Flora aponta para o outro lado do jardim, e as duas vão embora sem falar nada, a não ser por Nerrida, que murmura "Desculpa" quando passa por Flora.

Flora Carter pega a pedra que eu estava segurando e me devolve. "Tudo bem?", pergunta, e eu fico corada. Sobre o ombro, posso ver que Denver está olhando.

Na saída da escola, devo esperar por Iris, mas ela não aparece. Coisas ruins sempre acontecem quando se espera por Iris.

"Fodi seu pai ontem à noite", Nerrida fala, fora do portão. "O que você acha de mim como sua madrasta?" Hannah tem um ataque de risos atrás de Nerrida, e limpa as lágrimas dos olhos. Encolho os ombros, tento diminuir de tamanho e tiro os olhos delas. "Não se preocupe", continua, "eu não vou casar com ele – ele tem um pintinho assim, ó." Ela estende o dedinho e o balança em minha direção. Fico ofendida por meu pai.

"Suponho que você tenha um pinto maior que o do seu pai", provoca Hannah, o que faz as duas caírem no riso. Nerrida se recupera a tempo de chegar bem perto de mim, a ponto de eu poder sentir seu bafo de picolé de framboesa.

"Você tem um pinto grande, Gigante Mongoloide?" Já esperei Iris por tempo suficiente, e me viro para ir embora, mas Nerrida agarra meu braço e me puxa de volta. "Quando você vai aprender a respeitar os mais velhos?", ela ralha como uma mãe, não a minha, mas uma dessas mães na saída da igreja.

"Ei. Quer que eu vá com você até sua casa?" Denver Cobby surgiu ao meu lado. Posso sentir o calor de seu sangue através do braço, mesmo que ele não esteja tocando o meu. Hannah sorri e cora um pouco.

"Seria ótimo, claro", ela diz, e há um silêncio.

Denver bufa. "Não você", e Nerrida olha para ele, um sorriso começando a se formar em seus lábios quando Denver coloca o braço quente em torno de minha cintura. Tento não me sobressaltar. Enquanto ele me leva embora, ouço Nerrida dizer "Mas que porra?", e esse é o momento mais triunfal da minha vida, mesmo que eu vá pagar por ele amanhã.

Denver anda comigo o caminho inteiro – falou o tempo todo dos seus jogadores de futebol favoritos, e eu não ligo porque não consigo pensar em nada para dizer de volta, então fico apenas apreciando a conversa. Queria que Iris estivesse aqui para ver, queria que alguém tivesse passado por nós no caminho para casa, para que parasse e pensasse *Aquela menina Whyte anda fazendo amigos em lugares interessantes.*

"Seja como for", ele diz, um sorrisinho nos lábios, como se quisesse me perguntar algo, mas não tivesse coragem de fazê-lo. "Ignore a Nerrida, ela é uma vagabunda. Posso lhe acompanhar amanhã, se quiser." E ele vai embora, mas desvia do caminho e atravessa um arbusto, desaparecendo. É o que mamãe chamaria de Mágica Aborígene. Continuo parada ali, olhando para o lugar onde ele sumiu, quando ele reaparece. Ele me vê olhando e acena. "Fui dar uma mijada!", diz, e vai embora pela rua.

Na manhã seguinte, visto-me com cuidado. Iris tem uma sainha nova que eu penso em roubar, mas eu não teria coragem de passar pela porta com ela. Em vez disso, pesco um sutiã com enchimento do cesto de roupa suja e levanto um pouco minha regata. Experimento vestir uma blusa xadrez com um nó na altura do umbigo, que nem Nerrida. No fim, resolvo usá-la solta, porque disfarça o formato estranho do sutiã. Escovo os cabelos, algo que não costumo fazer. Com um pouquinho de batom, fico parecendo decente, suponho. Não posso fazer nada com relação aos tênis de ginástica, que fedem se você chegar muito perto. Cogito pela primeira vez arrumar um emprego como o de Iris, na casa de chás Gladioli, para poder comprar as sandálias e esmaltes que ela tem. Penso por um momento em levar suas sandálias na minha bolsa e estremeço ao pensar no que ela poderia fazer se descobrisse. O sutiã já é arriscado o suficiente.

Estou orgulhosa do meu novo biquíni, da Target. "Você vai ficar parecendo uma puta", mamãe dissera, mas acabara cedendo porque, pelo menos, estava em promoção. Pensei em vesti-lo sobre o sutiã com estofo – se eu precisasse nadar, essa ponte teria de ser cruzada.

Na escola, ninguém comenta sobre meu novo visual, o que considero um sinal de que fiz tudo certo. Nerrida se aproxima de mim no banheiro, sozinha, sem Hannah. Agarra meu pulso e crava as unhas nele. Ela acabara de passar brilho nos lábios, então sua boca está úmida e cheirando a laranja de plástico. Era como estar sendo arrastada para a boca de uma serpente, com suas unhas agarrando meu pulso – quanto mais eu tento me livrar, mais fundo ela crava as unhas.

"Escuta aqui, sua putinha", ela diz, novamente com o tom de mãe-saindo-da-igreja. Com a outra mão, aponta um dedo para mim. "É bom que saiba que você é uma garota morta." Ela me puxa para perto, e nossas testas quase se tocam. "Ouviu o que eu disse, estava prestando atenção, sua gorila de merda? Eu vou matar você." Ela solta meu pulso, e é possível ouvir o som de suas unhas desencravando de minha pele. Ela também gosta dele, imagino. Mas sou eu quem ele leva para casa depois da escola.

Faz tanto calor que preciso tirar a camisa e amarrá-la na cintura, o que estraga o visual da minha camiseta e deixa à mostra o volume estranho do sutiã por baixo da regata, mas não é de todo mal. Seguimos um caminho pelos arbustos que dá em uma trilha estreita, e vou na frente, olhando por sobre os ombros volta e meia, para conferir se ele ainda está me seguindo. Tenho a impressão de que ele aguenta a caminhada, de todo modo. Seguro um ramo de espinheiro enquanto ele passa, para que a planta não volte no seu rosto. "Você é legal, cara", Denver fala com um sorriso na voz, em um tom que me deixa bem certa de que ele não me considera um cara, de jeito nenhum. Então ficamos em silêncio, apenas o som de nossos passos na trilha, eu tateando a trilha com uma vara, procurando coisas para mostrar a ele, gostando de sentir seu olhar sobre as minhas pernas. Provavelmente ele vai querer me chamar para sair, talvez eu conheça seus pais – vi seu irmão mais novo na praia, brincando na maré baixa. Talvez eu me torne uma espécie de irmã mais velha para ele. Sei fazer biscoitos, eles iriam me querer por perto o tempo inteiro. Ou talvez seus pais desaprovem, talvez pensem que sou muito nova, ou talvez não queiram o filho saindo com uma branquela. Vamos rumar para fora da cidade em sua moto de trilha, eu segurando em sua cintura ou ele me segurando firme para que eu não escorregue.

"Afim de nadar?", pergunta, limpando o suor de sob os olhos.

"Sim", respondo. "Posso mostrar o barco que encontrei", e de repente tudo se encaixa. Há melhor maneira de ser beijada do que deitada no convés de um barquinho de lata, no meio do mar? As histórias que contaremos a nossos filhos. Denver dá um sorriso largo. "Eu adoraria."

Um maçarico e a copa escura dos eucaliptos contra o céu claro. Folhas que são marrons, cinzas e azuis, crestadas pelo calor, o rosto seco e quente e o eucalipto que preenche meu olfato, e lá está Denver, dois passos atrás, e estamos andando de volta para casa. Posso sentir seus olhos em minhas pernas, bronzeadas e com pelinhos claros em que a areia gruda. Eu nunca me senti bonita até esse momento, quando sei que ele está olhando, quando sei que ele não me vê como Jake a Troncha, Gigante Mongolóide, a Troglodita. Consigo imaginá-lo pensando em tocar minhas pernas, que agora não vejo mais como atarracadas, mas longas, fortes e potentes. Ele não está mais falando nada – já conversamos sobre a temporada de futebol, de ponta a ponta, e acho que hoje o impressionei porque falei que James Flannery havia perdido a boa fase, e mesmo que Kale Aidie fosse rápido, era um frouxo nas divididas. Ele riu quando eu disse aquilo, e foi um uma risada genuína, surpresa.

Até as teias de aranha haviam se desintegrado no calor, pegado fogo, puf!, no meio do ar.

Estamos no caminho para a praia quando ele aponta para o terreno dos Carter e diz "Olha, ali é a casa de Flora". Como se fosse algo que eu não soubesse. Eu sei onde estamos, conheço esse pedaço de matagal como a palma da minha mão, ele não precisa me dizer onde estamos. Bem atrás do terreno dos Carter, há um caminho de areia que leva até as pedras, e nas pedras há coisas para ver e conversar sobre. Polvos, nudibrânquios, estrelas do mar, caranguejos e ouriços. Ostras que você consegue arrancar com uma faca e têm gosto de água do mar e creme. Penso no barco que encontrei há um mês, nas dunas, e em nós deitados no fundo dele sentindo os peixes nadando abaixo. Consegui roubar um baseado e alguns fósforos do esconderijo de Iris, que eu conhecia. Ela vai arrancar minha pele quando descobrir, mas vale a pena. Pensei que poderíamos fumar assim que saíssemos da rua principal, nas árvores a caminho da minha casa, mas no barco seria muito melhor. Imagino quão impressionado ele vai ficar quando eu mostrar aquilo.

"Escuta", Denver diz, "você conversa com Flora, né?"

"Converso. Às vezes." Ando um pouco mais devagar, porque faz muito calor e uma brisa seria bem vinda.

"Ela é legal, não é?"

"É gente boa, sim." Embora, verdade seja dita agora, eu não a ache nada gente boa.

"E eu? Você gosta de mim?", pergunta. Fico encabulada, mas o jeito que ele diz aquilo me faz sorrir, como se estivesse preocupado que eu dissesse não, como se fosse possível não gostar de Denver Cobby, com suas pernas cabeludas e olhos negros.

"Aham, claro. Acho." E me viro para ele, sorrindo um sorriso que diz *Sim – você é demais.*

"Bom, então. Olha, você pode guardar um segredo?" Meu coração está saindo pela boca. Podemos ver os fundos da casa dos Carter agora, através dos chorões-das-praias e eucaliptos. Uma sombra passa pela janela, mas estamos longe demais para ver quem é. Denver solta um suspiro longo e profundo.

"Olha, eu e Flor..."

Flor?

Florescendo erva-daninha.

"Eu e Flor estamos juntos há alguns meses. Só que o pai dela não gosta dessa parada."

Parada cardíaca.

"Ele não deixa nenhum cara chegar perto da casa, ainda mais um cara negro. Mas ela é realmente importante, sabe, Jake?" Ele diz meu nome e eu o olho. Não penso em nada. As coisas não têm nem chance de entrar por um ouvido e sair pelo outro, porque eu não deixo que entrem. "Estou ficando maluco aqui – os dois estamos. Vamos pegar a moto e seguir para Cairns. Arrumar um cantinho lá – tenho esse camarada que parece conhecer um cara com algum trabalho que eu possa fazer. Não sei, cara, parece maluquice, eu sei. Mas que se foda!" E ele fala e fala, mas é como se minhas orelhas tivessem se virado e tampado a entrada do ouvido. Algo passa zumbindo pelo meu rosto, perto o bastante para que eu sinta o ar das asas vibrando em meus olhos. Então minhas orelhas se abrem a tempo de ouvi-lo continuar, "Mas ouve só, precisamos de alguém do nosso lado, que nos ajude a ficar juntos – será que você poderia guardar algumas coisas na sua casa? O pai da Flor sempre revira o quarto dela, para evitar que ela esconda cigarros ou camisinhas ou, sei lá, a porra dos gibis, o cara é doido. Eu durmo no sofá da minha mãe, então não tenho onde por as coisas. Pensei que talvez você tivesse uma cama embaixo da qual a gente pudesse esconder umas paradas até ir embora. Talvez possa nos emprestar alguma grana, se tiver sobrando. Precisamos de tudo que pudermos conseguir."

"Quer fumar este baseado?" Eu o seguro na mão como se fosse um pirulito. Uma ruguinha aparece no rosto adorável de Denver.

"Não – não é uma boa ideia, na real."

Prendo o baseado nos lábios. Denver me olha, parecendo subitamente inseguro. Que bom, penso. Você deve mesmo estar inseguro.

"Então, o que me diz?", ele pergunta, curvando-se um pouco para trás, com os dedões na cinta da calça. Acendo o baseado. A ponta queima, vermelha, e a fumaça vai direto em meu olho, mas me seguro para não piscar. Olho-o parado ali, com aquela cara de que o mundo inteiro dependia de um saco de dormir escondido sob minha cama.

"Jake?"

"Sai fora", falo calmamente, e trago. Eu já fiz aquilo antes, então se ele espera me ver tossindo como as crianças na tv, vai ficar profundamente desapontado. Imagino que sou Nerrida, perto do guarda-barcos, e jogo o quadril para um lado, cruzando o braço na frente do peito e pousando a mão sobre o ombro. Levo o baseado para perto dos lábios e finjo tirar um pedaço de tabaco da boca. Pela primeira vez, vejo que sou mais alta que Denver, e viro a cara em sua direção, meu nariz pontudo. Jake a Troncha Sapatona. A fumaça sai de minha boca, branca. Denver passa as mãos sobre o cabelo.

"Então, o que me diz? Fala alguma coisa."

Talvez ele esteja impressionado com o jeito que fumo, não sei. Parece que isso o aborrece.

"Caralho. Qual seu problema? A gente não era amigo?"

Ele sacode a cabeça. Eu o deixei bravo.

"Tudo bem, então", ele fala, eu silencio. "Se você quer ser uma babaca quanto a isso, beleza. Eu só a acompanhava até em casa porque Flor ficou com pena de você. Se eu descobrir que você contou nosso lance para alguém, vou te encher de porrada."

Ele me mostra o dedo, e imagino que era essa a intenção, mas fico tranquila. Continuo fumando.

"E, pelo amor de Deus, joga essa coisa fora."

Quando ele diz isso, pego o baseado com a ponta dos dedos polegar e indicador. Então deixo-o cair, espalhando a brasa com uma batidinha que a derruba sobre o chão cheio de folhas secas. Denver se move como uma serpente, pisa sobre a brasa e se vira para mim, empurrando-me até que eu caia no chão. "Mas que caralhos você acha que está fazendo, sua vagabunda? É maluca que nem a porra da família inteira."

Seu rosto está curvado nos pontos errados. *Ah*, penso – *nem é tão bonito, no fim das contas*. Ele aponta o dedo para mim, como se faz com uma criança ou um cachorro.

"É isso aí – se você disser uma palavra para qualquer pessoa..." Seu dedo balança. "Vaza daqui. E pode esquecer que a gente já foi amigo, sua criança do caralho." Ele olha para os fundos da casa dos Carter, procurando um sinal de quem estaria ali agora. Quando estico o pescoço, vejo cabelos loiros na varanda, ela está no balanço que seu pai fez para ela quando criança. Floresce uma erva-daninha.

Denver sai em disparada, desaparecendo na curva onde o caminho leva para as pedras. Com certeza eles têm uma hora marcada, com certeza ele sabia o tempo todo que estaríamos aqui e que ele poderia ver Flor assim que conseguisse descolar um lugar para esconder suas tralhas da viagem. Eles estariam ali nas pedras, comendo ostras. Empurrariam o barco para o mar e ficariam à deriva, deitados no fundo do casco. Era o barco deles, chego a entender, estava lá para eles, não para mim. Não consigo imaginar Flora Carter deixando Denver passar a mão em seus seios, no fundo do barco, mas o que eu sei? Não muita coisa.

Olho minhas pernas troncudas na terra em que Denver me atirou. Os pássaros fazem uma algazarra, todos cantando ao mesmo tempo, *Cuk... cuk... cuk... cuk... cuk... cuk, Hoo-hoo-hoo-hoo-hoo hoooo-hoooo, Wup wup wup wup, Saí-saí-saí.* Perto do meu pé, vejo a bituca pisada e me estico para pegá-la. Está um pouco rasgada e amassada, mas ainda dá para acender, e fumo enquanto olho o céu branco com aqueles braços de eucaliptos azuis, escuros contra o espaço. Os pássaros soam mais rápidos e agudos, *Gree... gree... ale-gree... ale-gree-aaa... a-áá, oláá, Chicka-dee-dee-dee-dee, Fee-beee, Ri, rii, riir, Tur-a-lee, Bem-te-vi, bem-te-vi ... Whoit, whoit, whoit, whoit.*

Coloco a brasa do cigarro sobre uma folha, e ela é consumida sem chamas, como se a folha tivesse simplesmente sido apagada da existência, como se nunca houvesse estado ali. Uma contagem regressiva começa na minha cabeça, do tipo que se ouve antes do lançamento de um foguete ou dez segundos antes do ano novo. Os pássaros cantam ainda mais alto, ou eu estou chapada, e queimo outra folha. *Bzeee-bzeee-bzeee-bzeee, Tsip, tsip, tsip, tit-tzeeeeee, Zray,*

zray zray zray sreeeeeee, Tsyoo-tsyoo-tsyoo-tsyoo-tswa, Zaa-
aaaaaaaaaaaaaa-tsyoo, Beba o chááááá, towhaaa, Queriiiii-
-da, queriiiii-da, queriiiii-da, e pego o isqueiro, e de algum
modo a trilha está em chamas, e não sei se eu tive a intenção, e o fogo se alastra, as aves grasnam, gritam comigo. *Chip, chjjjj, chewk, Beck, beck beck, Saí, Tool-ool, twe-*
edle-dee, chi-chuwee, a-lee-gree, riir... Wheet, wheet, wheet,
wheet. Chip, chjjjj, chewk, Beck, beck beck, Saí, Tool-ool, twe-
edle-dee, chi-chuwee, Tur-a-lee, Bem-te-vi, bem-te-vi... Whoit,
whoit, whoit, whoit, que-ale-gree, e antes que eu possa gritar
de volta, antes que os pássaros possam voar, as chamas se
erguem, engolem as árvores com o som de gelo quebrando,
erguem-se e não importa o quanto se pise sobre o fogo, ele
nunca vai se apagar, tenho certeza, apenas observo como
se eu fosse parte daquilo. Os pássaros cantam alto e então
é tudo um rugido e eu corro para as pedras. Passo por Denver, no caminho, e ele está encharcado de suor. Grita para
mim, quando nos cruzamos, mas não se demora para me
encher de porrada, corre feito um alucinado na direção do
fogo e da casa dos Carter, e quero gritar *Pare, não vá por aí!*,
mas o barulho dos pássaros e o ruído do fogo bramindo ar-
ranca toda a voz de minha boca, e ele se mete pelo meio das
árvores, e eu não consigo ir atrás.

Posso jurar que vejo um pássaro, brilhando em chamas,
voar do alto de uma árvore e continuar subindo como se
fosse um foguete para Marte.

31

Lloyd foi alimentar as ovelhas, deixando Cão e eu com um cobertor no sofá. Levantei assim que ele saiu, parei em frente ao espelho e fiquei me olhando. Meus olhos piscavam para mim. Tirei o curativo e senti a ferida.

Lavei o rosto e então baixei a cabeça na pia, jogando água morna sobre meus cabelos com as mãos em concha. A água saía rosa, pelo corte. Apertei os cabelos para escorrer a água e coloquei uma toalha sobre os ombros. Abri a porta da cozinha e olhei para o morro, então fechei a porta e recostei a espingarda perto dela. Peguei a tesoura da cozinha e sentei à mesa, esperando Lloyd.

"O que é isso?", perguntou, quando voltou.

"Quero que você corte meu cabelo."

Lloyd ficou parado por um instante, olhando para mim, e então veio ficar às minhas costas.

Ele passava os dedos com leveza por meu cabelo.

Trabalhou em silêncio, e tufos de cabelo caíram sobre meu colo e por minhas costas. Seus dedos sobre minha nuca e em minhas têmporas eram quentes. Fiquei de olhos fechados, ouvindo o som distinto da tesoura.

Depois de bastante tempo, Lloyd largou a tesoura, pousou as mãos em meus ombros e disse: "Sinto muito. Ficou horrível. Você vai ter que ir a um cabeleireiro".

No caminhão, Lloyd escreveu uma lista de compras. "O que acha de um vinho?", perguntou. "Sinto que já tomei uísque demais, esses tempos."

"Eu não vou a cabeleireiro nenhum."

"Ah, qual é, você precisa ir."

"Eu não me importo. Você pode tentar de novo depois, se isso fizer você se sentir melhor."

"Isso não vai me fazer me sentir melhor – nem vai fazer você parecer melhor."

"Não importa. Eu não me incomodo com isso."

"Deus todo-poderoso, você parece mais nativa que os próprios nativos daqui. Eu não vou conseguir viver tendo que olhar todo dia para esse desastre que fiz."

"Vai crescer de novo. Posso usar um chapéu."

"Freia", disse Lloyd, com outro tom de voz. Apertei o freio mas não parei.

"Quê?"

"Pare o carro, pare o carro." Ele se virou para a janela traseira e apoiou as mãos no vidro. Parei no acostamento.

"Que foi?" Antes que o caminhão tivesse parado por completo, Lloyd estava do lado de fora. Saí também, fechando Cão na cabine – ele ofegava furioso. Lloyd havia cruzado a pista e se metia mata adentro.

"Lloyd!", gritei, e ele apenas ergueu uma mão para me fazer calar. Segui-o, através dos gravetos e espinhos, Cão ganindo às minhas costas. Quando cheguei mais perto, vi que a bochecha de Lloyd estava sangrando onde um galho havia batido. Ele continuava em frente. Destruí uma toca de coelho com o tornozelo enquanto tentava alcançá-lo, vendo as costas de seu casaco se movendo do sol para as sombras.

"Espera", chiei, sem muita certeza do por quê eu falava baixo. Ele congelou. Quando o alcancei, ele estava imóvel, a não ser pela respiração que movia suas costas para cima e para baixo, enfumaçando o ar à sua volta.

Engoli em seco. "O que é?" Fiquei de pé ao lado dele, que levou um dos dedos aos lábios e depois apontou para uma samambaia nova, volumosa.

"Estou vendo", ele sussurrou, e eu vi uma sombra debaixo da cobertura verde, onde algo talvez tenha se movido.

"O que você está vendo?"

"É enorme", disse com uma voz que não parecia a dele. "Está aqui – está bem aqui."

"E você está vendo?"

"Está na nossa cara."

Alguma coisa mastigava ruidosamente no meio do mato.

"Devemos correr?", perguntei, mas não achava que devíamos.

Aquilo se moveu mais para dentro da mata, e ficamos parados ali, olhando e ouvindo.

"Meu Deus", Lloyd falou devagar.

Olhei para baixo e vi que estávamos de mãos dadas.

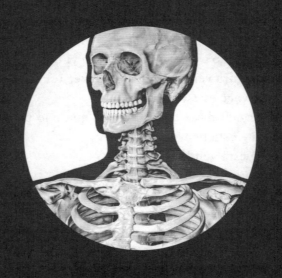

32

Na praia, na maré baixa depois da tempestade, os tubarões encalhados são aqueles pequenos que não precisam de reboque. Eles são apenas colocados nos barcos e levados de volta ao mar. Há um, de nariz azul, que parece uma minhoca sem as nadadeiras, e fico tentando imaginar aquele bicho nadando.

Logo irei para casa, e lá estará mamãe esguichando creme em sua bebida. O lugar vai estar cheirando a batata frita e roupas lavadas. Iris estará no quintal, com aquele seu biquíni estranho, e os trigêmeos estarão reclamando que falta tempo demais para a hora do chá e eles precisam de achocolatado, ainda que nunca tenha achocolatado na geladeira. O pai vai estacionar o carro e então se ouvirá o som de suas chaves caindo sobre o móvel da cozinha. Talvez eu peça novamente para ter um cachorro, apenas para ter o que falar. Papai vai à geladeira e pega uma cerveja, que chia ao ser aberta. É assim que a vida será, para sempre, e para sempre estarei aqui.

Agradeço a Mary Morgan e aos trabalhadores da fazenda de ovelhas Hereford, que generosamente me permitiram observar seu trabalho e fazer perguntas tediosas. Também a Sally, Pig e Sir Colin McColl, por cuidarem tão bem de mim.

A Nikki Christer e a todos na Vintage Australia, e também à Pantheon, dos Estados Unidos, pelo trabalho duro e pela grande edição. Agradecimentos mais que especiais para Diana Coglianese. Para todos da Jonathan Cape e Mulcahy Associates, particularmente Alex Bowler, Joe Pickering e minha agente Laetitia Rutherford, por suas habilidades excepcionais e por serem tão bons amigos. Obrigada, mãe e pai, Tom, Emma, Flynn, Jack, Matilda, Juno e Hebe, Roz, Roy e Gus. Obrigada, Jamie, por lidar comigo e por me ajudar a escrever.

EVIE WYLD é escritora. Seu romance de estreia, *After the Fire, A Still Small Voice*, foi selecionado para o *Impact Prize*, o *Orange Awards for New Writers* e para o *Commonwealth Writer's Prize*, tendo conquistado o prêmio *John Llewellyn Rhys*. Em 2011, a autora foi indicada pela BBC como um dos doze nomes entre os melhores romancistas britânicos, e em 2013 integrou a *Granta's Best of Young British Novelists*. *Onde Cantam os Pássaros* ganhou o Miles Franklin Award, o mais importante prêmio literário australiano, o britânico Jerwood Fiction Uncovered Prize e o Barnes & Noble Discover Award, oferecido pela livraria norte-americana aos novos autores de destaque. Vive em Londres e é uma livreira convicta; mantém uma pequena e simpática livraria independente no bairro de Peckham, a Review Bookshop. Saiba mais em eviewyld.com.

*Não existe fuga. Não existe proteção.
O passado sempre nos encontra,
no meio ou no fim da nossa curta jornada.*

**OS ANIMAIS SE PREPARAM
PARA O INVERNO DE 2015**

DARKSIDEBOOKS.COM